L'ORPHELINE
DE LA FORÊT BARADE

Michel Peyramaure

L'ORPHELINE DE LA FORÊT BARADE

Roman

Collection dirigée par Jeannine Balland

calmann-lévy

Ce roman est une fiction,
librement inspirée de la réalité historique.
Les faits relatés sont en partie réels,
en partie imaginaires.

COUVERTURE
Maquette : Atelier Didier Thimonier
Carl Wilhelm Goetzloff, *Paysage hivernal et église gothique* (1821),
Damast-und-Heimatmuseum, Grossschoenau, Autriche /
© Archiv Lentes / The Bridgeman Art Library

ISBN 978-2-7021-5347-5

Pour Jean-Luc Aubarbier

LA MAISON DES BORIES

Damien Renaudie : Les Bories,
près de l'Herm, en Périgord, avril 1615

Si l'on m'avait dit, il y a seulement quelques mois, qu'après avoir connu la vie trépidante et souvent ingrate du château, je serais appelé à finir mes jours dans cette masure des Bories, à l'abandon depuis des décennies, je ne l'aurais pas cru. Cette réclusion relative est pourtant le fait de ma seule volonté. Il est vrai aussi que j'y fus poussé par mon âge, ma santé et l'envie de retourner aux richesses essentielles que j'ai trop longtemps méprisées et qui désormais m'entourent : du temps pour la méditation, le travail consacré à mon arpent de terrain, le soin à donner à mes bêtes et les promenades dans la forêt qui, depuis ma jeunesse, m'a nourri de sa sève âpre mais généreuse.

Je n'ignore pas les épreuves qui m'attendent. Bâtie par mes ancêtres, métayers des Calvimont, seigneurs de l'Herm, cette masure est une de ces ruines devant lesquelles on passe sans se retourner, certain que la forêt finira par l'engloutir jusqu'à la dernière pierre.

En choisissant Les Bories comme résidence ultime, j'ai répondu à un défi : tenter d'employer mes dernières forces à la rendre habitable, quitte à faire appel aux hommes et aux garçons de ma famille pour les travaux les plus pénibles. Je sais qu'ils ne me ménageront pas leur concours ; je saurai d'ailleurs les en récompenser.

Je n'ai trouvé de réticence que chez les miens, et surtout de la part de ma sœur aînée, Albine, qui règne avec autorité sur son foyer. Je lui ai fait part de mon projet il y a quelques mois, alors que j'aidais à écaler les noix devant la cheminée ; elle a éclaté de rire et m'a répondu dans le rude patois du pays :

— Es-tu sérieux ? Les Bories n'existent plus. Il faudrait pour leur redonner vie raser cette chaumière et en construire une autre à sa place. Puisque tu as décidé de renoncer à ton service au château, viens plutôt vivre chez moi. C'est là qu'est ta place. La Grande n'a plus pour longtemps à vivre. Tu pourras prendre son lit.

Nous appelions ainsi notre mère, Antonine, qui végétait au coin du feu ou sous les chênes verts de la cour et n'avait plus toute sa raison.

Je l'ai remerciée de sa proposition avant d'ajouter :

— J'ai de bonnes raisons de tenir à mon projet. Je comprends ta réaction, ma sœur, mais que veux-tu ? Si un homme de mon âge et de ma condition ne peut s'offrir quelque fantaisie, mieux vaut pour lui se jeter dans le Gour noir ou se perdre dans la forêt et se laisser dévorer par les loups !

Elle s'est écriée :

— Comme tu y vas ! Une « fantaisie », c'est le mot qui convient, mais à ton âge et maigre comme un coucou, c'est de la démence. Au moins promets-moi de réfléchir.

— Quand le cheval est harnaché il faut sauter en selle et lui faire sentir la cravache et l'éperon. Je ne renoncerai qu'à l'heure de ma mort, qui ne tardera guère. Les Renaudie ont bâti cette masure et mon père y a vécu. Moi j'y mourrai. Mais rassure-toi, je ne vais pas vivre comme un sauvage ou un ermite. Tu auras souvent ma visite. Chaque dimanche et pour les fêtes je serai présent à votre table.

— Quand le curé sera absent, je suppose ?

Elle faisait allusion à la tiédeur de ma foi et à mon antipathie inébranlable pour le curé de Rouffignac qui vient dire les messes dominicales à la chapelle du château et à l'église du village. Elle a ajouté :

— Au moins, lorsque Dieu te rappellera à lui, pourrai-je te faire inhumer en terre chrétienne ?

— Comme je ne serai plus maître de mes décisions, tu en feras à ta guise. Si je partais sans les derniers sacrements, ta famille passerait pour huguenote ou hérétique et les femmes vous tourneraient le dos. En revanche, je tiens à l'être aux Bories.

— Quoi qu'il en soit, vieil entêté, tu ne pourras m'empêcher de prier pour le salut de ton âme.

Je dois convenir qu'il y a quelque *fantaisie* dans ma décision.

Que reste-t-il de la maison des Bories ? Pour ainsi dire presque une ruine : les quatre murs, la charpente encore en bon état, la tuilée à reprendre, un conduit de cheminée fissuré par la foudre... Bref : une coquille vide entourée de ce qui fut le jardin potager et le *couderc* pour la volaille, les ouailles et le porc. Une végétation de misère a tout envahi.

Mon projet a failli sombrer, quelques années auparavant. Mon beau-frère, Léonard Rigaud, originaire des Maurézies, avait décidé de consommer cette presque-ruine pour en récupérer les pierres et construire un nouveau pigeonnier, le sien, fait de torchis, menaçant de s'écrouler. Il en a été empêché par la situation difficile du pays, rongé par toutes sortes de brigands qui donnent à la forêt mauvaise réputation.

Attaché à mon projet comme une louve à sa tanière, j'ai effectué les jours derniers une inspection aux Bories, où je ne suis pas revenu depuis des années. En y pénétrant, une sorte de vertige m'a pris. La masure était envahie par des ronces, des orties et des chardons, où nichaient couleuvres, aspics et quelques petites chauves-souris qu'on appelle chez nous des pipistrelles. La vue de trois ou quatre nids d'hirondelles m'a rassuré.

Les moyens ne me manquent pas pour entreprendre le plus gros des travaux. Dieu merci, je connais de jeunes et solides gaillards, dans ma famille et au village, qui m'y aideront, après les grands travaux de l'été. Quant à moi, encore ingambe malgré mon âge, je ne répugne pas à manier le pic et la truelle.

J'aurais pu, après la fin de mon contrat d'embauche au château de l'Herm où j'assumais depuis des décennies le rôle d'intendant des messieurs de Calvimont, me retirer à Paris. Mon frère cadet, Gratien, premier clerc d'un avocat au Parlement, m'a encouragé à faire ce choix avec l'intention d'utiliser mes connaissances en matière de droit familial, mais quitter l'ambiance détestable d'une famille de châtelains en proie à des problèmes d'héritage pour une capitale déchirée par des passions religieuses et politiques, non merci ! J'aspire à une fin de vie paisible, au cœur de la forêt et à proximité des miens. Partir eût été déserter. La forêt Barade m'aurait vite manqué.

Les étrangers à notre province se font une fausse idée de cet immense coin de terre qu'ils assimilent aux sylves profondes du Nouveau Monde dont M. de Champlain effectue la conquête. Il est vrai cependant qu'en raison de sa vastitude et du caractère touffu de sa végétation, elle constitue le repaire inviolable non d'Indiens mais de bandes armées qui rendent sa traversée périlleuse. Je ne m'y suis jamais risqué sans une escorte et, à diverses reprises, n'ai pas eu à regretter cette précaution.

Notre mère, la Grande, persiste à croire que cette immensité végétale n'a pas de limites connues, qu'elle est peuplée de *bestiasses* légendaires, les *pharamines* issues de l'enfer, et d'âmes perdues en quête d'un refuge pour l'éternité. Il est vrai qu'elle n'a quitté son village de l'Herm qu'à trois ou quatre reprises et une fois, avant son mariage, pour faire brûler un cierge au sanctuaire de Rocamadour.

Je pourrais écrire des pages sur cette forêt qui, du haut de ma cellule du château, m'apparaissait naguère, ainsi qu'à ma mère, comme un continent sans commencement ni fin, un de ces déserts dont parlent les Écritures saintes. Que de longs moments j'ai passés à mon fenestron pour le simple plaisir de voir le ciel et le soleil jouer avec l'ondoiement des collines, les ombres des nuages glisser comme des caresses sur cette épaisse fourrure végétale. En dépit de la vermine humaine qu'elle héberge, elle évoque une image perpétuelle de sérénité, quelles que soient les saisons. Elle a été mon berceau ; elle recevra ma dépouille.

Quelques mots de son histoire.

Au temps des guerres de Religion, elle a livré passage aux armées catholiques de Blaise de Monluc, ce monstre à figure humaine qui a laissé une multitude de pendus aux branches, et aux hordes calvinistes de Geoffroy de Vivans, chef de pilleurs d'églises, de tueurs de prêtres et de moines. Les fumées que je voyais dans le passé émerger de la sylve n'étaient pas toujours celles des charbonniers : plus que celle des fours, elle sentait l'odeur acide de la poudre. Les feux nocturnes qui coloraient de lueurs rougeoyantes les nuages bas n'étaient pas toujours ceux des écobuages, mais des chaumières ou des hameaux incendiés par des hordes de soudards.

Les paysans souffrent de ces exactions, pas la forêt. Il ne faut que quelques années ou même quelques mois pour enfouir en elle les traces de ces méfaits. Image d'éternité, elle semble se moquer des querelles des hommes et n'obéir qu'au cycle des saisons.

Dimanche 21 avril

Ce soir, l'odeur de l'aubépine, mêlée à celle des genêts et de la grande pinède qui borde ma terre, me vient par bouffées sur le chemin qui mène du village de l'Herm où Albine m'a retenu à souper, à celui de Plisse, à un quart de lieue des Bories. La vesprée traîne un reliquat de lumière tamisée au-dessus de la pinède qui ourle la colline.

Il était temps que j'arrive : un grondement sournois dans ma poitrine m'alerte contre l'imprudence d'une marche que ma claudication rend pénible. Je devrais, cédant aux instances d'Albine, faire l'acquisition, à la foire aux chevaux de Rouffignac, d'un bourricot pour mes promenades. Albine est prête à me restituer la selle rustique de notre père, sur laquelle je montais dans ma jeunesse. Aurais-je la force d'y garder mon assiette ? Je crains les vertiges. Une chute pourrait m'être fatale.

Mon chien, Brutus, un corniaud gras comme un moine, est venu à mes devants avec des aboiements joyeux. Je lui ai gratté la tête et lui ai jeté les reliefs du festin dominical. Il a engouffré ces restes comme s'il avait été, durant des jours, privé de sa pâtée.

L'estomac brouillé, les jambes molles, je me suis laissé choir sur le banc de pierre, sous ma treille, pour allumer ma dernière pipe de la journée et jouir du serein. Je me serais endormi là sans les aboiements de Brutus; il m'avertit ainsi, chaque soir, qu'il est temps, le jour tirant sur sa fin, de me coucher.

D'ici à une semaine ou deux, le chantier achevé, je serai enfin chez moi. Comparée à la vaste chaumière d'Albine, ma demeure fait piètre figure, mais, aménagée à ma façon, avec le strict nécessaire, elle me conviendra.

Contrairement à ce que redoutait ma sœur Albine, je ne m'y sens pas seul. Du seuil je peux apercevoir les maisons de l'Herm, tassées sous la silhouette massive et sinistre du château, et les premiers toits du hameau de Plisse. Dans une clairière voisine, sur un vaste replat de genêts, le charbonnier Cabans a dressé ses fours; ils sont si proches que les fumées viennent jusqu'à moi sans m'indisposer. Il a dressé là sa loge de sauvage, où il vit avec femme et enfants. Quand le temps est calme, ces fumées montent droit comme un cierge puis jouent à modeler de jolis nuages en boules de laine grise. Il m'arrive de rendre visite à ce brave homme; pour Pâques je l'ai invité avec toute sa famille et on a fait la fête dehors jusqu'à la nuit en mangeant des crêpes de seigle et en buvant le vin âpre des Maurézies.

Je suis assez fier de la disposition de mon intérieur. La salle principale fait office de cuisine: une table faite de trois planches posées sur tréteaux; le cantou, débarrassé de ses vieilles cendres et suies remis en état, j'y prépare mes repas; mon lit se trouve sous le fenestron ouvrant vers la pinède; il est séparé de la grande pièce par une cloison de planches; j'ai aménagé le cagibi servant jadis de réserve de bois et de subsistances pour en faire un local destiné aux travaux d'écriture auxquels je n'ai pas renoncé ; j'y ai rangé quelques livres ramenés de l'Herm avec la permission de la dame du château.

C'est dans cet ermitage que je compte en finir avec l'histoire, commencée il y a des années, de la dynastie des Calvimont, à laquelle s'ajouteront les événements dramatiques dont j'ai été témoin il y a peu.

Pour ma subsistance, aucune gêne. Avec les produits du jardin que je viens d'ensemencer, mon poulailler, la chèvre qui me donne lait et fromages, le pain que je me procure chez un paysan de Plisse, je suis à l'abri de la disette, d'autant que j'ai table ouverte chez ma sœur.

Pour ma nourriture spirituelle, je possède de quoi ne pas mourir d'ennui. J'y retrouve avec délectation Virgile, Homère, Longus : un éclectisme, il est vrai, qui sent le dénuement. S'y ajoutent le *Tiers Livre* de Rabelais, les *Divers Jeux rustiques* de du Bellay, un tome des *Essais* de Montaigne et un bel exemplaire des premiers poèmes de La Boétie. Un seul de ces ouvrages est ma propriété : L'*Énéide*, de Virgile, acheté à un marchand de livres de Sarlat. Les autres appartiennent aux châtelains. Comme ils ne s'adonnent guère à la lecture, je ne suis pas disposé à les leur restituer, sauf s'ils me les réclament. Ce qui me surprendrait, impliqués qu'ils sont dans leurs imbroglios testamentaires.

L'écriture et la lecture prennent l'essentiel de mon temps. Je ne me lasse ni de l'un ni de l'autre, et les heures passent, légères comme des nuages. Il m'arrive même, pris d'insomnie, de rallumer ma chandelle et de lire ou d'écrire jusqu'au lever du jour, quitte à compenser mon retard de sommeil par une longue sieste.

1

PRÉLUDE SENTIMENTAL

La légende, c'est la soierie et la dentelle dont s'orne parfois le sombre manteau de l'histoire.

En est-il de même pour celle que je vais relater et qui, à défaut d'être avérée, a au moins le mérite d'être conforme aux mœurs du temps ? Elle servira d'introduction aux faits incontestables qui sont la matière de ce récit. Dans une certaine mesure, on y retrouve la même veine de cruauté et de mystère qui marque la société féodale de notre temps et de ceux qui les ont précédés.

L'histoire que je me propose de conter brièvement a eu pour théâtre le château de Puymartin, paroisse de Marquay, non loin de Sarlat. Je l'ai entendu raconter maintes fois dans ma jeunesse au cours des veillées où l'on écalait les noix ou pelait les châtaignes. Bien que connaissant l'issue de cette affaire criminelle, j'en avais chaque fois des frissons.

Au milieu du siècle précédent, après la mort du roi François Ier, le maître du château de Puymartin était

Raymond de Saint-Clar. On sait peu de chose de ce personnage. D'un naturel belliqueux, il avait transformé la contrée en champ de bataille et n'hésitait pas, en manque d'argent, à pratiquer le pillage, se disant tantôt catholique et tantôt calviniste. Pour tout dire, un méchant bougre.

Son fils aîné, Jean, n'était pas de la même étoffe. S'il lui arrivait de se servir d'une arme, c'était pour la chasse aux loups, ce dont nul n'aurait osé se plaindre.

Pour conforter sa dynastie, son père lui jeta dans les bras une demoiselle d'une famille noble de Salignac, Thérèse. Peu disposée à jouer les recluses, elle compensait les exploits cynégétiques ou amoureux de son jeune époux par des réunions intimes où l'on jouait du clavecin à deux claviers et où l'on écoutait, entre deux sonates, les vers d'Alain de Commarque.

Si ce jeune poète avait conquis l'oreille de son auditoire, il n'avait eu de cesse de faire de même pour le cœur solitaire et mélancolique de Thérèse. Furent-ils amis ou amants ? L'histoire reste muette à ce sujet. Toujours est-il que, la bonne société ayant pris congé, il restait présent.

Mis par une servante au courant de cette relation suspecte, messire Jean n'eut de cesse d'en savoir plus. Un soir, au retour de la chasse, alors qu'il avait annoncé une longue absence, il surgit au château et trouva sa jeune épouse assise dans un fauteuil avec, à ses pieds, son ami de cœur. Il tira son épée et sans autre forme de procès, envoya son rival dans l'autre monde puis enferma Thérèse en haut d'une tour, avec interdiction d'en sortir. Elle y resta recluse quelques années et mourut mystérieusement.

Au drame allait se substituer la légende dite de la Dame blanche de Puymartin.

Le premier témoin du phénomène fut une vachère. Ramenant son troupeau à la nuit tombante, elle passait sous le château quand son attention fut attirée par une forme diffuse et phosphorescente qui, s'échappant de la geôle de Thérèse, restait en suspens avant de prendre, comme poussée par le vent, la direction du village voisin de Vintéjol. Alain de Commarque y avait une résidence dans laquelle, avant le drame, il recevait son amie (ou sa maîtresse).

Dans les jours qui suivirent, à la même heure, les gens du village se pressèrent devant le château de Puymartin pour assister au phénomène. Il dura quelques jours, à ce qu'on dit, puis s'interrompit au grand dam des visiteurs, venus parfois de loin.

Sur la fin de ma présence au château, je me suis souvenu de ce drame et des corrélations qui le rapprochaient étrangement de ceux dont je fus témoin : ceux qui ont fait de l'Herm un lieu maudit.

J'ai trop longtemps vécu au château de l'Herm, dans l'intimité de la famille de Calvimont puis de celles qui allaient suivre – les d'Abzac et les d'Aubusson –, pour que les personnages et les événements qui ont hanté ce théâtre tragique aient disparu de ma mémoire. La modestie de mes origines n'a pas été un obstacle à la situation que j'occupais en ces lieux.

Tenancière d'une riche métairie, ma famille occupait une chaumière dans le village, au pied du château pour ainsi dire. Son histoire importe peu, les manants de notre espèce ayant, par la force des choses, la mémoire courte. Si j'avais eu à l'écrire, une demi-page aurait suffi. J'ignore même la date exacte de ma naissance et celle de mes parents.

Il n'en va pas de même des châtelains, les tabellions tenant depuis des siècles le grand registre de leurs origines. Je dois à la faveur et à la confiance que me témoignaient mes maîtres d'avoir eu accès à ces documents pour le travail qu'ils me confièrent : une reconstitution de la dynastie des Calvimont.

J'appris ainsi que cette énorme bâtisse dominant les vastes étendues de la forêt Barade était née de la volonté d'un notaire de Payzac, dans les parages d'Hautefort, Jean de Calvimont. Je m'interroge encore sur le choix insolite effectué par le personnage émergeant en premier de cette histoire : autant construire une forteresse dans les déserts d'Afrique ! Il est vrai que les dimensions de cette première bâtisse étaient modestes : sans doute un bastion fortifié à usage de pavillon de chasse, la forêt Barade étant fertile en gibier.

Les documents de la famille sont parcimonieux quant à ce personnage. On connaît la date de sa mort : l'année 1475. De son mariage avec une demoiselle de Prouilhac, Catherine, il eut quatre fils ; ils allaient se distinguer dans la magistrature. L'un d'eux, qui portait le prénom de son père, Jean, a fini sa carrière conseiller au parlement de Bordeaux.

Je me suis délecté d'une découverte fortuite : une page de manuscrit dégradée mais déchiffrable, dans laquelle le premier des Calvimont a consigné les instructions pour ses funérailles : il exigeait d'être inhumé dans la chapelle du château, en présence de deux cents prêtres et d'une cohorte d'indigents vêtus de noir et porteurs de torches. On n'aurait pu souhaiter mieux pour l'office funèbre d'un prince du sang.

Durant mes premières prospections dans ce fatras, j'ai achoppé sur un obstacle : tous les membres masculins de la famille, à peu d'exceptions près, portent le même prénom : Jean. Dès lors, en absence de leurs faits et gestes, comment les différencier ? Je me trouvais figé comme devant une vieille tapisserie délavée, aux personnages dépourvus de détails physiques, dont l'existence, pour certains, se cantonnait à deux dates : celles de leur naissance et de leur mort. Les conditions propices dans lesquelles j'exerçais ma mission généalogique et la confiance que me témoignaient mes maîtres m'ont décidé à poursuivre ce travail.

J'avais obtenu d'occuper une cellule, au sommet d'une tour, d'où la vue portait sur l'immensité de la forêt. J'organisai à ma guise cet espace exigu. J'eus quelque difficulté à faire tenir une table assez vaste pour les vieux grimoires et les actes notariés, une plus petite pour mes repas, une autre, minuscule, pour ma toilette et un grabat que je dressais le jour contre le mur pour me déplacer sans encombre. Je n'en demandais pas plus.

C'est au curé de Rouffignac, Antoine Vergès, que je devais cette faveur insigne : me plonger dans les origines des Calvimont. Ayant observé chez moi des « dons hors du commun » (ce sont ses propres termes), il avait obtenu de ma famille que je fusse confié à un collège de Sarlat pour y affiner mes connaissances et donner libre cours à mes qualités. Au sortir de cette institution, placé devant le choix entre une carrière religieuse, la profession de clerc dans une étude de Sarlat et le poste d'intendant en second au château, mon choix fut immédiat : je choisis ce dernier et n'eus pas à le regretter.

La châtelaine, la dame Marguerite de Fages, me dit un jour :

— Mon époux et moi sommes satisfaits de tes services, mais notre idée est que tu as mieux à faire. Nous souhaitons mettre de l'ordre dans l'histoire des Calvimont. Nous allons laisser maître Carcenac s'occuper seul de l'administration du domaine pour te laisser vaquer à tes fonctions de généalogiste. Tu trouveras, dans un coffre placé dans la tour du Nord, les documents nécessaires à ton travail. Je te laisse le soin de chercher l'endroit le plus favorable pour exercer cette mission. Tu seras libre de ton temps, mais tu devras m'informer des résultats de ton travail.

— Je crains, madame, lui répondis-je, que cela demande beaucoup de temps et une compétence que je n'ai point.

— Le temps ne te sera pas mesuré. Quant à tes capacités, je n'ai aucune crainte. Tu auras ta place à notre table et un lit.

Elle ajouta avec un sourire :

— Le curé Vergès m'a confié que tu excellais dans la poésie. Il ne te sera pas interdit d'exercer cet art, à condition qu'il ne contrarie pas ton travail. Je souhaite lire tes poèmes, à moins qu'ils n'aient un caractère... intime.

Je lui promis de lui confier ceux qui évoquaient mon séjour à Sarlat, la forêt Barade et ma sœur aînée, Albine. Elle ne me cacha pas le plaisir qu'elle avait eu à les lire. J'en rougis de fierté. Madame était ma première lectrice.

Fille aînée du seigneur de Fages, madame Marguerite n'avait pas vingt ans lorsqu'elle épousa Jean de Calvimont. Président en second au parlement de Bordeaux, contraint à de longues absences, il laissait à son épouse et à maître Carcenac l'administration du domaine.

Cette grande haridelle affligée d'une épaule déjetée, au visage ingrat, aux cheveux nattés à la diable, négligée dans sa toilette, était dotée d'une vive intelligence. Il semblait qu'elle n'en fît montre qu'avec moi ; avec sa domesticité, elle affectait des exigences et une vulgarité de propos choquantes.

Elle quittait l'Herm de temps à autre escortée par une dizaine de gardes armés de mousquets, pour retrouver sa famille au château de Fages, dans les parages de Saint-Cyprien. Endommagée par la guerre de Cent Ans, cette demeure imposante avait gardé l'aspect d'une ruine. Elle m'invitait parfois à la suivre.

En chevauchant, il nous arrivait d'échanger des opinions sur nos lectures. Sans être une érudite, elle se passionnait pour Virgile et Homère, faisait preuve d'un bon jugement et souhaitait connaître d'autres auteurs de l'Antiquité. Ils abondaient dans la bibliothèque de l'Herm, mais en latin, ce qui lui en interdisait la lecture. Elle comptait sur moi pour les lui traduire, mais j'avais assez à faire par ailleurs.

Un peu *nice* que j'étais (pour dire naïf), je mis du temps à comprendre que l'intérêt que la dame portait à ma personne insignifiante avait peu de rapports avec mes recherches savantes ; elles la faisaient bâiller lorsque je lui en parlais.

Deux ou trois fois par semaine, discrète comme une ombre, elle pénétrait dans ma cellule. Je ne devinais sa présence que lorsque ses mains se posaient sur mes épaules ou s'ébrouaient dans mes cheveux, ce qui m'indisposait.

Une voix discrète et rauque me soufflait à l'oreille :

— Alors, monsieur le savant, as-tu fait de nouvelles découvertes ?

Lorsqu'elle me demanda si je continuais à écrire des poèmes, je lui répondis que j'étais trop pris par mon travail mais n'avais pas renoncé à ce « passe-temps ».

— Sais-tu, Damien, ce qui me plairait ? Je vais te le dire : c'est que tu me dédies un de tes poèmes, un sonnet par exemple, puisque cette forme semble te convenir.

— Un sonnet à votre intention, madame ? Ce que vous me demandez là, heu...

— Ne me dis pas que je ne t'inspire aucun sentiment ! T'ai-je mesuré mes marques d'affection ?

— Vous m'en comblez, madame, et j'en suis flatté. De là à vous consacrer un poème...

La rougeur qui me montait aux joues parut exciter sa belle humeur.

— N'y a-t-il pas, dans un coin de ton cœur, envers moi, un autre sentiment que la gratitude ? N'y aurait-il place dans ton inspiration que pour la forêt, le printemps, les oiseaux et les fleurs ? Ce sonnet auquel je pense, je l'attends. Tu auras une semaine pour me le présenter.

Je crus que les murs de ma cellule venaient de s'effondrer quand, avant de se retirer, elle posa un baiser sur ma joue.

Il me fallut du temps pour retrouver mes esprits, mon décor familier tournant vertigineusement autour de moi comme un manège.

À la réflexion, que madame manifestât pour moi un sentiment autre que de l'*affection* n'avait rien pour me surprendre, mais, ne trouvant en elle aucune attirance, qu'avais-je à répondre à cet élan ? Pouvais-je lui révéler que j'avais depuis peu, dans sa maison, une idylle avec une servante, Julia, qui, elle, possédait ce dont elle était exempte : la jeunesse, une chair dodue, un visage auquel il ne manquait que la rosée pour rappeler une fleur du matin. Je tremblais que la dame ne surprît nos rendez-vous, aussi discrets fussent-ils, et ne renvoyât cette innocente.

Le lendemain, pour confirmer son intention de séduire de manière plus explicite le béjaune que j'étais, elle déposa sur ma table un livre de poèmes de Clément Marot qui, je ne sais comment, se trouvait au château. Un bout de ruban vert en dépassait. Elle me dit :

— Lis et médite le poème figurant sur cette page, intitulé *Le Dizain de neige*, dédié à sa « grande amie ». Tu me diras demain ce qu'il t'a inspiré.

Elle resta ce jour-là moins longtemps que d'habitude. Après qu'elle m'eût quitté j'ouvris le livre et, en lisant le quatrain qu'elle avait souligné, je ne doutai plus de ses intentions à mon égard : *Anne, ta seule grâce/Éteindre peut le feu que je sens bien/Non point par eau, par neige ni par glace/Mais par sentir un feu pareil au mien...*

Si je me résolus à écrire le sonnet qu'elle exigeait, c'est inspiré par le talent de Marot plus que par les sentiments que je lui vouais. La nature du sujet m'était étrangère au point que j'eus du mal à trouver mes mots et à faire en sorte qu'ils ne paraissent pas s'adresser à une statue mais à une femme amoureuse.

Lorsque je lui présentai mon poème savamment calligraphié, elle s'assit sur le *banchou* réservé à ses visites, le lut d'une traite, me regarda fixement, le relut et soupira :

— C'est beau, Damien. C'est très beau, au point que...

— Dites, madame, je vous prie.

— ... au point de te soupçonner de l'avoir copié dans un autre recueil.

— Madame ! Comment oserais-je abuser de votre crédulité, vous qui...

Elle me coupa la parole et récita avec une pointe d'ostentation deux vers qui l'avaient émue en particulier : *Le printemps n'a pas trop de ses rosiers en fleur/Pour célébrer le charme altier de votre grâce...*

— Sois franc avec moi, Damien, étais-tu sincère en écrivant cela ?

Certain qu'elle me poserait cette question, j'avais élaboré une réponse brève :

— Madame, on ne peut tricher avec la poésie comme avec les sentiments. Si cela avait été le cas vous l'auriez deviné au premier vers.

Elle se leva, posa ses lèvres sèches sur les miennes, glissa le feuillet dans sa ceinture et me dit :

— Ainsi, Damien, ta timidité vaincue, nous allons marcher sur le même chemin, en proie aux mêmes sentiments. J'ignore ce que le destin nous réserve. Dieu, dans sa grande indulgence, nous guidera.

Ce que le destin ou Dieu nous préparait, j'en avais quelque idée et souhaitais, pour y échapper, le retour rapide de M. de Calvimont. Des affaires importantes (ou quelque maîtresse) le retenaient au parlement.

Après nos premières effusions, madame Marguerite resta trois jours sans manifester sa présence dans ma cellule, si bien que je crus qu'elle avait renoncé à donner suite à sa tentative réussie de séduction. Nous ne nous rencontrions qu'au cours des repas et rien ne trahissait notre secret.

Un soir d'été, alors que j'achevais à la chandelle la relation d'un chapitre concernant un parent de mon maître, Jean de Calvimont, dit Janicot, greffier de la sénéchaussée du Bas-Limousin et seigneur de Labenche, ma porte s'ouvrit comme sur une bouffée de vent. Je me retournai ; elle était là, immobile, un chandelier à la main, droite dans sa chemise blanche.

Je me levai pour aller vers elle, refermai la porte au loquet et m'apprêtai à lui manifester ma surprise. Et elle me dit d'un ton sans appel :

— Damien, es-tu prêt ?

Je faillis lui demander naïvement à quoi j'aurais dû me préparer. Elle m'évita de formuler cette niaiserie, posa son chandelier sur le testament de messire Janicot et rabattit la couverture de mon grabat. D'un geste lent, elle dégrafa sa chemise qui glissa jusqu'au parquet comme un nuage. Elle ajouta d'une voix rauque :

— Viens, mon amour, viens !

Elle ne dit pas un mot de plus, sauf qu'en m'aidant à dépouiller mes vêtements, elle se mit à pester contre un bouton qui résistait. Quand ce fut fait, elle s'allongea sur le drap avec une grâce à laquelle ne répondait pas le spectacle de son corps, son seul avantage étant de baigner dans la pénombre. Elle s'était frictionnée si généreusement à l'eau de Venise que je faillis éternuer.

Que pourrais-je dire de cette nuit, sinon qu'après avoir eu du mal à faire valoir ma virilité, je lui témoignai mon ardeur à trois reprises ?

Lorsque la lumière du matin me réveilla, l'oiseau s'était envolé et sa place était froide. Ma chandelle brûlait encore au ras de la bobèche, sur le testament de messire Janicot.

La fraîcheur du petit matin me revigora. Je m'en barbouillai le torse comme d'une eau de toilette et la bus à pleine gorge. Une lumière toute neuve, avec encore des liserés rosâtres, balayait la forêt jusqu'aux lourdes collines de Saint-Gérac. Aux chants des coqs et au beuglement des vaches dans les métairies répondaient le monologue d'un merle juché sur le bord d'une fenêtre de la tour voisine et le tambour d'un pivert contre un tronc d'arbre.

Je mentirais en disant que cette nuit avait été une épreuve. Je n'avais pas boudé mon plaisir et avais tout lieu de croire que ma maîtresse avait connu les mêmes dispositions. Du remords ? Nullement : l'initiative n'avait pas été de mon fait. En serviteur fidèle, je n'avais fait que satisfaire au caprice de ma maîtresse et je lui abandonnai les problèmes de conscience, à supposer qu'elle en eût.

Nous n'allions pas en rester là.

Messire Jean persistant dans son absence, madame et moi, durant une quinzaine, allions nous donner du bon temps, chaque nuit ou presque, sauf quand elle avait ses fleurs. Je mettais tant d'ardeur à la satisfaire que mon travail en pâtit. Quand je lui confiai mon inquiétude, elle éclata de rire.

— Peu importe, mon amour ! Les personnages auxquels tu t'intéresses sont morts depuis longtemps et peuvent bien attendre un peu plus que tu les ressuscites.

Un sentiment de frustration gâchait un peu mon plaisir. Je discernais dans les élans de ma maîtresse et les mots qu'elle bredouillait durant nos étreintes une passion alliée à son plaisir. Il m'était impossible d'y répondre sur le même ton ; il manquait ma voix à ce duo. Elle ne m'en fit pas la remarque, mais cette gêne n'aurait pu lui échapper.

Ma conscience me laissait en paix mais, de temps à autre, me titillait. Je n'étais pas fier de cette double trahison : envers Julia et envers mon maître. Lorsqu'elle me reprocha de la négliger, je faillis rompre avec ma jeune maîtresse. Quant à M. de Calvimont, je redoutais qu'à son retour il ne surprît dans le comportement de son épouse quelque trouble suspect.

Parfois, lorsque madame dormait, sa tête proche de la mienne étant donné l'exiguïté du grabat, j'observais sans complaisance, dans la clarté de la chandelle qu'elle tenait à garder allumée, les défauts de son visage : sa bouche laissant échapper un fil de salive, ouverte sur une dentition grisâtre, ses paupières lourdes et fripées, ses rides aux commissures des lèvres et des yeux… Son corps était déjà celui d'une vieille femme : blême et maculé de taches rosâtres, jambes maigres et poitrine pantelante. Au cours de nos ébats, elle transpirait affreusement d'une sueur alliacée, ce qui provoquait un mélange écœurant avec l'eau de Venise. Il fallait toute l'ardeur de ma jeune virilité pour dissiper ma nausée.

Je ne savais comment faire comprendre à madame Marguerite que, son caprice satisfait, il convenait d'en rester là, et que, le secret de nos rencontres éventé, nous n'échapperions pas à un scandale dont je serais la première victime.

J'eus un jour l'audace de lui demander quelle serait la réaction de son époux s'il découvrait la véritable nature de nos relations. Elle me rit au nez, disant que messire Jean entretenait à Bordeaux une catin qui lui coûtait fort cher et, ce qui me laissa stupéfait, qu'il ne lui faisait pas mystère de ses écarts de conduite. Séjournant à l'Herm, il ne se privait pas de trousser les jeunes servantes. Quelques bâtards, à l'évidence, auraient pu en témoigner.

Me souvenant de l'histoire de Puymartin, je me disais qu'il suffirait d'un accès de mauvaise humeur de la part de mon maître pour qu'il me réservât le même sort qu'au pauvre seigneur de Commarque. Quant à madame, je ne m'inquiétais pas pour elle, sachant qu'elle n'était pas de nature à se laisser enfermer dans une cellule, comme Thérèse.

Madame allait manifester de nouvelles exigences.

Persuadée que j'avais l'étoffe d'un « grand poète », elle me mit en demeure d'écrire d'autres œuvres. Je regimbai, disant que mon travail passait avant ces bluettes, que j'avais pris du retard, que la poésie ne répond pas à la demande, mais exige de la concentration et de l'inspiration.

Elle refusa d'en convenir. Je dus lui *fabriquer* (le mot n'est pas erroné) des sonnets, des ballades et des élégies où je m'attachais à célébrer les charmes dont elle était dépourvue et une passion absente de ma part, dans un lyrisme de pacotille qui la faisait se pâmer de plaisir et moi rougir de honte.

Elle glissait dans sa ceinture le poème sur lequel j'avais peiné durant des heures, à la chandelle. Le jour où je la conjurai de ne pas laisser traîner ces œuvrettes, de crainte que son mari ne les découvrît, elle éclata de rire.

— Mais, mon chéri, il n'ignore rien de ton talent ! Je vais être la première à lire ce poème et lui en second ! D'ailleurs il ne va pas tarder à t'en faire compliment.

Je crus que le sol se dérobait sous moi et protestai avec vivacité :

— Madame... Vous m'aviez promis de garder notre secret. Avez-vous réfléchi aux conséquences de cette indiscrétion ?

— Nous ne risquons rien, je t'assure. J'ai fait comprendre à mon époux que ces poèmes s'adressaient à une ancienne maîtresse, jadis à Sarlat.

— Et il vous a crue ?

— Il croit tout ce que je lui dis. Sa confiance en moi est illimitée. Je pourrais lui raconter que la Terre tourne autour du soleil et non le contraire, il me croirait. S'il me fait à ce point confiance, c'est parce que je jouis d'une instruction qu'il n'a pas, malgré les charges d'écriture qu'il exerce à Bordeaux. Je suis restée quatre ans chez les religieuses de Périgueux. Ce ne fut pas pour moi du temps perdu.

— Il n'empêche ! Je crains qu'un jour ou l'autre, à la suite d'une maladresse de votre part ou de la mienne, il découvre nos relations intimes. Et alors...

— ... et alors, ce ne serait pas un drame ! Nous sommes convenus, au lendemain de notre mariage, de faire chambre à part et de vivre à notre guise. Nous nous en sommes tenus là et une parfaite entente règne entre nous.

J'avançais péniblement dans une tâche [illegible] pour laquelle je n'avais aucune dispositio[illegible] chais pourtant avec ténacité, persuadé que, si je renonç[illegible], je me retrouverais sous la férule de maître Carcenac, à veiller à la bonne tenue des écuries ou à courir les fermes.

J'étais aidé dans ce travail, je dois le dire, grâce à maître Antoine de La Boétie, riche bourgeois de Sarlat, lieutenant particulier du sénéchal de Guyenne, qui possédait la plus riche bibliothèque de la province. Ami de longue date de messire Jean de Calvimont, il avait consenti à m'ouvrir ses archives qui semblaient remonter à Mathusalem. Certains manuscrits étaient en si mauvais état que je dus renoncer à les utiliser. Les autres, avec l'accord du propriétaire, je les emportai à l'Herm.

Je rencontrais parfois dans sa bibliothèque son fils, Étienne, un garçon laid et fragile, qui passait plus de temps à lire et à écrire qu'à jouer sur la place avec les garnements de son âge. Il allait, bien des années plus tard, devenir l'ami de Montaigne et écrire des chefs-d'œuvre. Son *Discours de la servitude volontaire* a été mon livre de chevet.

L'horizon de l'histoire se dépouillait peu à peu de ses brumes mais la plupart des personnages qui en émergeaient n'avaient que peu de données à me proposer de leur existence. Ce qui est certain, c'est qu'on était prolifique dans la famille. Jean, deuxième du nom, avait eu de son épouse, Annette Dupuy de la Jarthe, six enfants, tous des garçons. Il peut paraître étrange qu'il n'y eût pas eu de fille dans cette galerie de portraits sans visages. Les aurait-on sacrifiées à leur naissance ?

C'est à cette dame de la Jarthe, fille d'un riche bourgeois de Périgueux, que mon maître dut sa venue au monde l'année 1488, sous le règne du roi Charles VIII. À cette époque le château devait avoir l'allure qu'il a aujourd'hui : massive et triste, avec comme seul élément décoratif la porte toute fleuronnée qui ouvre sur la grande vis et suscite l'admiration de nos visiteurs.

Habile en affaires, messire Jean de Calvimont rompit avec son notaire de père pour voler de ses propres ailes. Il acquit très vite de nouveaux domaines qui firent de lui un des plus riches gentilshommes de la province et lui ouvrirent les portes du parlement de Bordeaux.

En avançant dans mes recherches j'avais l'impression de cheminer dans les allées d'un vaste cimetière aux stèles plantées de guingois, portant des mentions sommaires et parfois illisibles. Je complétais mes découvertes par des détails fournis par les archives de M. de La Boétie. Sans elles, qui sait si j'aurais eu la patience de poursuivre ma mission ?

Conscient d'avoir intérêt à préserver un statut privilégié, je confesse avoir avancé à pas prudents en faisant mine, pour mes maîtres, d'aller au trot. Je réussissais assez bien à entretenir cette équivoque.

2

UN PASSANT VÊTU DE NOIR

Je dois dire que mes maîtres montraient moins d'intérêt encore que moi à mon travail. De retour parmi nous, ce beau vieillard qu'était messire Jean, toujours mis à la dernière mode, formulait la même demande sous la même forme :

— Alors, mon garçon, où en es-tu ? Avances-tu dans tes recherches ? Qu'as-tu trouvé d'intéressant depuis mon dernier séjour ?

Dans l'obligation que je m'imposais de prouver la qualité de mon travail, je lui lisais des résumés. Il semblait écouter avec attention, en marmonnant des commentaires d'une grande banalité. Parfois il bâillait. Le jour où il s'endormit, je me gardai de le réveiller. En sortant de sa léthargie, il me dit pour tout commentaire :

— Fort bien. Tu fais du bon travail, Damien. Continue…

Un soir de juillet, alors qu'il m'avait convié à boire en tête à tête un verre de vieille prune, il alluma sa pipe de terre blanche, en tira les premières bouffées avec délectation, toussa et me dit :

— Mon épouse m'a fait lire quelques-uns de tes poèmes. Comment aurais-je pu supposer que le fils de mon métayer Renaudie pratiquait la poésie avec un tel talent ?

— Messire, votre indulgence me flatte. Ce compliment…

— Tu le mérites ! J'aime la façon dont tu parles de tes relations amoureuses avec cette fille de Sarlat qui s'appelle… qui s'appelle…

— Virginie, messire.

Je lui avais jeté le premier prénom qui me venait à l'esprit. Il le répéta comme si soudain il éclairait ma poésie d'une nouvelle clarté. Il aurait aimé que je lui raconte mes amours, mais je m'y dérobai, disant que cette fille était morte depuis peu et qu'il eût été indécent d'évoquer nos ébats.

— Morte, cette jeune créature ? Comme c'est dommage…

Il éclata de rire et ajouta en me regardant d'un air ironique :

— Allons, mon garçon, avoue que cette Virginie dont tu parles avec passion dans tes vers n'est qu'une créature née de ton imagination et sert à cacher l'identité de ta vraie maîtresse. Parlons entre hommes : c'est de mon épouse qu'il s'agit, n'est-ce pas ?

J'eus l'impression qu'une décharge de mousqueterie venait d'éclater et qu'une force irrésistible m'arrachait à mon siège. En bref, je me vis perdu, comme le jeune

Alain de Commarque à Puymartin, et m'attendais à une réaction brutale devant mon mutisme. C'est un rire aigrelet qui me parvint. Une voix enjouée me lança :

— Eh là ! mon garçon, tu ne vas pas virer de l'œil comme une demoiselle ? Mon épouse a dû te dire que tu n'as pas à redouter de moi un accès de jalousie. Encore un verre de prune pour te remettre !

Je me dis qu'il devait être ivre quand je l'entendis poursuivre à voix basse :

— Plus les années passent, plus je ressens la vanité des passions humaines, du moins pour ce qui est des affaires de cœur. Alors, qu'en dépit de mon âge je chasse encore dans les jardins d'Éros, comme tu dis dans un de tes poèmes, et que mon épouse se console en faisant de même, je n'y vois rien à redire, sinon éviter les pièges de la passion. Tu vas donc rester à mon service. Quand tu en auras fini avec tes exercices de généalogie, je souhaite que tu consacres un chapitre à ma vie. Elle a été riche en événements et tu trouveras sûrement du plaisir et de l'intérêt à la relater.

Durant l'automne qui suivit je consacrai des heures, plusieurs jours par semaine, à écouter messire Jean me raconter une existence moins riche d'événements notables qu'il me le laissait supposer. Comment prendre intérêt aux travaux du parlement de Bordeaux, à ses démêlés avec les vinadiers de la ville, et, pour son compte, à l'achat d'un immeuble proche de la cathédrale Saint-André puis d'un vignoble à La Bastide ? Son récit aurait gagné en intérêt s'il avait consenti à me raconter ses amours, mais il s'en garda car il tenait au sérieux de cette relation.

Nos entretiens se déroulaient dans sa chambre chauffée, où j'étouffais, incommodé autant par la chaleur que par la fumée de tabac, dont il abusait, de même que du vin qu'il faisait alterner avec la vieille prune. Parfois, emporté par quelque souvenir pénible, ses yeux s'embuaient et sa voix prenait une raucité qui la rendait inaudible. Parfois, l'ivresse lui brouillant l'esprit et la mémoire, il s'endormait dans son fauteuil et j'en profitais pour m'esbigner ou, comme on dit chez nous, « sortir de la vigne ».

Dans le récit qu'il me faisait de sa vie, la présence de son père (Jean, évidemment), tenait une place de choix. Il est vrai que sa carrière surpassait en importance celle de son fils. Il était, me dit-il, « terrible, ardent et impétueux ». Il avait été contraint de quitter son poste de conseiller au parlement de Bordeaux pour être envoyé en ambassade pour le roi François en Allemagne et en Espagne. Alors qu'il négociait un traité de paix à Madrid, son insolence lui avait valu un séjour dans une prison de Burgos par ordre de l'empereur Charles Quint. Messire Jean avait davantage à dire sur ce personnage que sur lui-même ; il en parlait avec vénération, comme il l'eût fait d'un saint.

Un soir d'hiver, alors que nous devisions devant la grande cheminée en attendant l'heure du souper, nous eûmes la visite d'un étrange personnage vêtu de noir qui demandait asile pour la nuit. Comme il n'avait pas l'apparence d'un vagabond, messire Jean l'invita à partager notre souper et n'eut pas lieu de s'en réjouir.

Durant tout le repas il nous entretint de la nouvelle religion que le moine Luther avait inventée en Allemagne et que Calvin, prêtre défroqué, avait répandue en France. À en croire son pathos, cette nouvelle religion était celle de l'avenir : elle vouait aux gémonies les dépravations de l'Église de Rome, condamnait les sacrements, instaurait une relation directe entre Dieu et les hommes...

Il nous lut quelques passages des *Instructions* de Calvin, dont l'intransigeance et la violence me choquèrent. Lorsqu'il en vint au reniement du culte des images, résurgence de l'idolâtrie, messire Jean quitta la table et revint avec deux solides gaillards qui empoignèrent le ministre par les aisselles, l'arrachèrent à son siège et le jetèrent dehors malgré ses protestations véhémentes. Nous le retrouvâmes le lendemain matin couché dans la grange, à demi mort de froid.

Nous venions d'entrer, modestement, dans la tragédie des guerres de Religion qui avaient déjà embrasé le continent, le pays, et gagnaient notre province.

À Bordeaux, un prosélyte trop ardent de la Réforme, Aymon de La Voye, avait été conduit au bûcher. À Bergerac, les huguenots, autrement dit parpaillots ou calvinistes, s'étaient livrés à du vandalisme dans les lieux saints, décapitant la statue de la Vierge dressée au milieu du pont et jetant sa tête dans le fleuve.

Les ministres du nouveau culte étaient parvenus, en parcourant la province, à racoler bon nombre de gentilshommes et de bourgeois pour constituer de petits groupes armés qui gagnaient de jour en jour en importance et en violence. Ils avaient moins de chance avec les paysans, trop attaché à la religion de leur père, à leurs coutumes et à leurs curés. J'ai constaté, en parcourant notre contrée, que nos paysans se montraient en majorité imperméables aux idées nouvelles.

En quelques mois, avec une conviction inébranlable, les calvinistes, en remontant fleuve et rivières, avaient atteint Périgueux, s'y étaient installés en maîtres et avaient transformé la cathédrale Saint-Front en caserne et en écuries. Lorsqu'il apprit la nouvelle, messire Jean, de retour du parlement de Bordeaux, en avait eu les sangs retournés.

— Notre province tout entière, s'écriait-il, aurait dû se lever comme un seul homme pour venger ces sacrilèges et ces infamies ! Si j'en avais encore la force, j'irais porter la guerre sous les murs de la ville pour en chasser ces brigands ! Qui donc va réagir ?

— La riposte est en bonne voie, lui dis-je. Une armée est en train de préparer le siège.

— Eh bien, je veux en être ! s'écria-t-il. Je donnerai à mon fils, Jean, les moyens de constituer une petite troupe. Il faudra des chevaux, des armes, des équipements, mais je suis prêt à en faire la dépense. Damien, tu m'y aideras. Il va falloir me trouver des chevaux et des armes.

Durant deux ou trois semaines je courus les foires et les magasins des armuriers de Bergerac, pour équiper une troupe d'une centaine de paysans enrôlés de gré ou de force dans les villages et les métairies d'alentour. Je partais à l'aube, assisté d'une escorte et revenais le soir, fourbu, pour présenter un rapport à mon maître.

Messire Jean allait se trouver en bonne compagnie dans sa marche sur Périgueux. Lors du rassemblement, au cœur de la forêt Barade, il eut la joie de voir se présenter les seigneurs de Chabans, de La Brangélie, de Chilhaud des Fieux, de Lagut, de La Roderie et quelques autres, qui, dans l'ensemble, formaient une petite armée.

Par curiosité plus que par conviction, j'avais souhaité assister à cette expédition, sans y participer, madame s'y étant opposée. J'étais, me dit-elle, trop utile au domaine pour risquer ma vie. Je laisse deviner l'autre raison, plus égoïste, qui lui avait fait m'opposer ce refus. Elle me laissa cependant partir pour Saint-Gérac où une vingtaine de prêtres avaient été appelés à célébrer une messe solennelle pour les combattants de la vraie foi.

Jean était l'un des capitaines qui avaient pris en main les opérations. Elles n'allaient durer que quelques jours. J'avais ramené à grand-peine de Bergerac une couleuvrine et une pleine charrette de poudre et de boulets qui allaient faire forte impression sur les parpaillots qui faisaient les bravaches sur les remparts de Périgueux.

L'affaire n'allait pas traîner en longueur. Des habitants demeurés fidèles à la religion traditionnelle ayant ouvert de nuit une poterne dans les parages des arènes, nos troupes s'engouffrèrent à travers la ville à la lumière des torches et, quartier par quartier, en livrant bataille, allèrent s'en rendre maîtres.

À son retour, pleurant d'émotion, Jean nous raconta la messe de *Te Deum* célébrée en la cathédrale Saint-Front, saccagée par les calvinistes et qui sentait le crottin plus que l'encens. Il était au comble de l'exaltation en évoquant la pendaison de quelques dizaines d'hérétiques sur la place de La Clautre, en présence d'une foule délirante de joie. Messire Jean mêla ses larmes à celles de son fils.

Cet été-là répandait lumière et chaleur sur les lointains de la forêt avec une telle intensité qu'il laissait prévoir, au dire des anciens, la sécheresse.

J'étais éveillé chaque matin par le *tire-lire* des passereaux qui folâtraient dans les buissons et les arbres du parc. Pour la Saint-Roch, nous avons assisté à la bénédiction du bétail de nos métairies rassemblé sur le parvis de l'église. Les femmes avaient orné les jougs de fleurs sauvages et présenté à l'eau bénite de petits sachets d'oignons cuits sous la cendre pour conjurer les maladies fréquentes dans les étables.

Par plaisir plus que par nécessité, je participai aux moissons qu'on appelle dans notre canton les *métives*. De ces exercices épuisants, je retirai une satisfaction : être obligé de dépenser mon énergie et ma virilité. La dame Marguerite et moi avions depuis peu renoncé d'un commun accord à nos ébats : elle en raison de son âge et moi pour jouir pleinement de mon repos.

J'aimais le maniement de la faux, le crissement de sa lame contre les tiges sèches du blé, l'odeur âcre montant de la terre craquelée, et jusqu'au soleil qui me brûlait la peau. Le soir venu, ivre de fatigue et de bonheur, je m'écroulais sur mon lit, épuisé au point que la décharge d'une couleuvrine n'aurait pu m'éveiller.

Un triste événement allait bouleverser la maisonnée.

Un matin, alors que j'avais repris place parmi les faucheurs, Albine vint me prévenir que l'on réclamait ma présence au château, messire Jean, le père, ayant traversé une mauvaise nuit après une journée de chasse que la dame et moi lui avions pourtant fortement déconseillée.

Je trouvai le malade dans sa chambre, vêtu simplement de sa chemise à cause de la chaleur. J'eus un recul à la vue de son visage à la peau plaquée sur les os, livide et l'écume aux lèvres. Seules bougeaient ses mains qui trituraient son gros chapelet de buis. Madame se tenait dans la ruelle, droite comme un cierge dans sa tunique blanche, le visage fermé, avec autour d'elle Jean, quelques bâtards et deux servantes, dont ma Julia.

Le moribond me tendit la main. Je me penchai sur lui pour demander ce qu'il attendait de moi. Il fit un effort pour balbutier d'une voix rauque :

— Damien... mon garçon... promets-moi... promets-moi d'en finir avec... le travail que tu as entrepris... et qui raconte ma vie.

Je le rassurai en lui disant qu'il ne restait que quelques pages à rédiger et que j'en aurais fini dans la semaine. Mensonge pieux. J'ajoutai :

— Vous aurez vous-même, messire, tout lieu d'en être satisfait si Dieu daigne patienter pour vous rappeler à lui.

Je faillis trahir mon émotion en sentant sa main sèche se refermer sur la mienne et sa bouche décolorée esquisser un sourire. Je portai ses doigts à mes lèvres et me retirai dans ma cellule pour attendre l'heure fatale dont j'avais prié Julia de me prévenir.

Sur le coup de midi, la mort avait accompli son œuvre.

Dans les dernières volontés, formulées devant notaire, qu'il m'avait dictées peu avant sa disparition, mon vieux maître stipulait qu'il tenait à ce que ses obsèques fussent célébrées par cent prêtres, comme son ancêtre. Parcourant les paroisses à mes risques et périls en raison des troubles qui agitaient la forêt, je ne parvins à en réunir qu'une vingtaine. Le corps allait être exposé dans l'église du village puis dans la chapelle du château avant d'être inhumé auprès des siens, en présence d'une centaine de paysans et de quelques pleureuses dûment rémunérées.

C'est le cœur serré que j'entendis le grincement des cordes et vis le lourd cercueil descendre sous le dallage. Messire Jean m'avait traité mieux que ne l'eût fait mon père. J'étais attaché à lui plus qu'à mon géniteur naturel. Il m'avait permis de prendre la mesure de mes dons naturels pour l'écriture, m'avait ouvert des horizons dont j'avais pris conscience au collège de Sarlat où, sans me flatter, mes maîtres me considéraient comme leur meilleur élève.

Quelques jours après sa mort, les *métives* et le battage au fléau, je m'enfermai dans ma cellule pour rédiger les derniers chapitres du travail que m'avait confié mon maître. Madame Marguerite allait m'y aider en puisant dans ses propres souvenirs. Jean, qui avait accompagné son père à Bordeaux à diverses reprises, m'aida lui-même de son mieux. C'était peu de chose, mais l'essentiel était dit.

À la mi-août je mis le point final à ce travail qui comportait une vingtaine de pages que je rangeai dans les écrits sur la généalogie des Calvimont. Messire Jean, le jeune, demanda à lire ces documents. Je les lui confiai ; il m'en fit compliment.

— J'ignorais, me dit-il, avoir un écrivain dans ma maison. Damien Renaudie, tu mérites une récompense. Que souhaites-tu ?

— La seule grâce que je puisse attendre de vous et de madame, c'est de rester au château pour y exercer les fonctions qu'il vous plaira de m'attribuer.

— Ce sont des vœux modestes. Ils sont d'avance exaucés.

Dans les jours qui suivirent les obsèques de son père messire Jean prit les armes et rassembla quelques manants pour rejoindre, avec sa couleuvrine, le chef de l'armée catholique du capitaine du roi, Blaise de Monluc. Doté d'une terrible réputation, revenu de campagnes punitives en Guyenne, il s'était promis, au nom de la reine Catherine de Médicis, de pendre tout ce qui se disait calviniste en Périgord. On pouvait suivre son passage aux arbres qui portaient des grappes de pendus.

Peu avant son départ, messire Jean m'annonça sa décision de me prendre à son service pour cette équipée guerrière, à titre d'écuyer.

— Mille regrets, lui dis-je. D'une part je répugne à faire la guerre et, d'autre part, madame Marguerite a besoin de mes services, incapable qu'elle est de faire face aux ennuis qu'elle subit après la mort de votre père.

— Je n'insiste pas mais je regrette ta décision, me répondit-il. J'aurais aimé que tu racontes mes exploits dans cette campagne. Il est vrai que je pourrai t'en faire le récit à mon retour… si je suis encore de ce monde.

Un soir, au retour de Cendrieux, où elle était allée rendre visite à une vieille amie, épouse du premier magistrat de la ville, la dame semblait si agitée que je lui demandai si elle était souffrante. Elle ne l'était point mais avait été bouleversée par ce qu'elle avait appris au cours de sa visite.

— Monluc, me dit-elle, se conduit chez nous comme un satrape. Dans sa chasse aux calvinistes, il use de la corde au moindre soupçon d'hérésie, laisse ses soldats violer les femmes, tuer les enfants et les vieux. Il… il…

— J'ai connaissance de ces faits, madame, lui dis-je, et cela me navre autant que vous, mais nous n'aurons pas à souffrir de ces barbares s'ils s'aventurent jusqu'à nous. Mon maître nous en protégera. Il y a sans doute une part de fabulation dans ce que l'on vous a raconté à propos des méfaits de Monluc.

Je l'avais rassurée mais moi-même ne l'étais guère. Chaque jour me venaient des nouvelles concernant les sinistres exploits du nouvel Attila. Il y avait, dans les craintes de madame, quelque exagération mêlée à beaucoup de vérité. Il m'était venu à l'oreille que les villages de l'Herm, de Plisse et quelques autres aux alentours abritaient nombre de paysans qui avaient pris le parti des calvinistes. La plupart s'en tenaient à leur conviction, sans la traduire par des actes d'hostilité envers leur curé ; ils se contentaient d'écouter les prêches des ministres dans une clairière tenue secrète de la forêt. D'autres, en revanche, étaient prêts à prendre les armes, fussent leur faucille, leur faux ou leur coutelas pour résister aux hordes de Monluc.

À Rouffignac, Rebeyre, cette vieille bête de curé, n'avait échappé à la bastonnade, au sortir d'une messe, qu'en s'enfermant dans son église. Décidé à se venger, il avait dressé une liste de ses agresseurs. Si Monluc se présentait, la tâche lui serait facilitée.

Pour pallier de nouveaux massacres, je fis la tournée des fermes et des métairies de l'Herm, de Plisse et des entours pour tenter de mettre en garde les tenants de la nouvelle religion contre des excès de zèle. Certains, prenant de haut mes admonestations, se disaient prêts à mourir pour leur foi, l'arme au poing. D'autres, verts de peur, promettaient de n'en pas faire étalage et de se tenir sur leurs gardes en attendant que l'orage soit passé.

J'avais appris par ma sœur Albine que son mari, Léonard Rigaud, ce lourdaud tout juste bon à gratter la terre, s'était laissé convaincre par un ministre de passage d'adhérer à sa religion. Il avait même consacré quelque argent à l'achat des *Instructions* de Calvin. Il savait tout juste signer de son nom mais conférait à cet ouvrage un caractère sacré.

Sur la fin de ma tournée, je rendis visite à ma famille et demandai à parler à Léonard pour lui recommander la prudence.

— Si tu persistes dans tes convictions, lui dis-je, tu sais que tu risques la corde, et il me déplairait de voir mon beau-frère pendu à son tilleul, sa femme et mes neveux malmenés. Alors tu vas me donner ton livre et faire comme si tu restais fidèle au saint-père de Rome. Je ne te demande pas l'impossible. Fais-moi ce plaisir.

En proie à une colère froide, il se mit à trépigner, disant que je risquerais moi-même la corde, ou pire, le jour où les calvinistes seraient maîtres de la province et du pays, et que ma situation au château ne me protégerait plus. Quant au livre, il refusait de s'en séparer.

— Il est bien caché. Cherche-le si tu as du temps à perdre !

Je n'eus pas à chercher longtemps. Je le trouvai dans le *tiradour* de la table et le jetai au feu. Le visage crispé par la colère, Léonard saisit un couteau et, plus fort que moi, me fit basculer sur la table, la lame sur ma gorge. Sans l'intervention d'Albine, il m'aurait tué. Il me salua d'une imprécation qu'il avait dû entendre au cours d'un prêche :

— Un jour la colère de Dieu s'abattra sur toi comme sur « Sodoune » et « Glamorre ». Maudit sois-tu, *hérétique* ! Je t'interdis de remettre les pieds dans ma maison !

Il oubliait que sa maison était aussi un peu la mienne. Albine me révéla qu'il était très remonté contre moi pour d'autres motifs.

Depuis qu'on m'avait prié de servir au château, l'attitude de ma famille à mon égard avait changé, cet événement ayant creusé un fossé entre elle et moi, Albine exceptée.

Je ne retrouvais plus les marques d'affection et la familiarité de jadis. On ne pouvait me reprocher d'avoir « déserté » ma condition paysanne, alors que j'aidais les miens de mon mieux dans les périodes difficiles. Leur reconnaissance achoppait sur le sentiment de leur infériorité. Léonard y ajoutait une jalousie injuste teintée d'une agressivité que je supportais mal. Cela créait entre nous quelque tension. Quand il s'adressait à moi, il disait « Monsieur Damien » ou « Toi, le savant ». J'avais l'impression, lorsque je partageais les repas de famille, qu'ils recevaient l'évêque de Périgueux ou le sénéchal du Périgord, tant ils me témoignaient de révérence ironique. Je m'entretenais pourtant avec eux dans notre langue ancestrale, mais sans pouvoir dissiper cette gêne. Ce n'est qu'avec Albine que je retrouvais une affection sans nuage.

Un matin où j'inspectais les écuries en compagnie de maître Séverac, notre palefrenier, un de nos domestiques, posté au sommet d'une tour pour surveiller les parages, donna l'alerte : il avait observé des nuages de poussière et des éclats d'acier dans les parages du lac Nègre, au nord du château.

Je tins à me rendre compte par moi-même de l'événement. Il ne s'agissait pas d'une armée mais d'une avant-garde de vingt cavaliers qui chevauchait sous les bannières de Monluc. J'en informai madame Marguerite. Elle venait d'achever sa toilette et ne parut pas inquiète.

— Des gens de Monluc ? Eh bien, quoi ? Si Jean se trouve parmi eux, j'aurai plaisir à le revoir. Fais le nécessaire pour les accueillir dignement, en veillant à ce que rien ne leur manque.

Je fis baisser le pont-levis et ouvrir la porte à nos visiteurs. À leur tenue et à leur langage, je compris qu'il s'agissait de mercenaires espagnols, ce qui n'était pas de nature à me rassurer.

Je me tenais sur le seuil, à côté de la dame Marguerite, lorsque le chef, descendu de cheval, s'inclina cérémonieusement, chapeau bas, et se présenta en bon français :

— Capitaine Pablo Serano, comte de Monte-Rosso, en Castille. Votre serviteur, madame.

Il baisa la main de ma maîtresse avant d'ajouter :

— Je vous saurai gré, madame, de nous héberger, moi et mes hommes, pour un jour ou deux, en attendant que le gros de notre armée nous ait rejoints à Rouffignac.

— Capitaine Serano, répondit madame Marguerite, cette demeure est la vôtre. Nous sommes flattés de votre visite et ferons tout pour la rendre agréable. Mon fils, Jean de Calvimont, se trouve dans l'armée du capitaine de Monluc. Je serai ravie de le revoir.

— Je l'ai rencontré à Saint-Gérac, madame. Il est en parfaite santé et m'a prié de vous assurer de son affection.

— Cela me touche, capitaine. M. Renaudie va s'attacher à vous faire oublier votre fatigue et à vous restaurer.

Alors que je veillais à préparer les tables dans le parc et à faire en sorte que rien ne manquât, Serano passa une bonne heure à visiter le château, pièce à pièce, comme s'il y cherchait une trace d'hérésie. Il se montra satisfait de sa visite à la chapelle et manifesta le désir d'y faire célébrer une messe. Il eut satisfaction au début de l'après-midi, le curé Rebeyre se trouvant à Plisse pour célébrer une messe funèbre. Je le pris à part et lui dis :

— Curé, je connais ton zèle à combattre l'hérésie. Veille aujourd'hui à le mettre sous le boisseau. Il serait regrettable que des incidents surviennent par ta faute, alors que nous avons ces reîtres sur le dos. Les Espagnols ne badinent pas avec la religion. Alors, de grâce, tiens ta langue.

— Tu connais mes convictions, Renaudie, et je connais les tiennes. On te voit rarement à la messe, ce qui te rend suspect d'hérésie, voire d'athéisme. Rompons là je te prie, et laisse-moi libre d'exercer ma mission au nom du Seigneur.

— Je te préviens, Rebeyre : si par ta faute il y a du grabuge, tu le paieras de ta vie, j'en fais le serment devant Dieu.

Il haussa les épaules et disparut dans un groupe de cavaliers qui se préparaient pour l'office.

Je détestais ce prêtre fanatique, hirsute, barbu, maigre comme un coucou, au point que, chaque fois que je le rencontrais et que nous échangions des propos acerbes, je devais maîtriser mon envie de lui sauter à la gorge. Je ne me connaissais qu'un ennemi dangereux : lui.

L'office religieux allait être suivi d'une fête dans le parc.

Je fis monter de la cave des tonnelets de vin et porter sur les tables de quoi satisfaire la fringale des cavaliers. Alors que tombait la nuit, ils nous donnèrent le spectacle d'une ivresse générale marquée par des chants, des danses et des excentricités auxquelles notre domesticité et des filles du village durent se mêler, de gré ou de force. J'avais conseillé à Julia de ne pas se montrer ; la suite de la fête me donna raison : elle se termina par une orgie.

Dans la grande salle où madame Marguerite recevait Serano et trois de ses écuyers, il me fut pénible d'avoir à lever mon verre à la santé du grand capitaine Blaise de Monluc. Je trouvai au vin, ce soir-là, un goût amer, si bien que je n'en bus qu'une gorgée en maîtrisant l'envie de la recracher.

Au milieu du souper, madame s'excusa auprès de ses convives et me pria de l'aider à gagner sa chambre. Elle paraissait épuisée au point de trébucher sur un tapis et de s'accrocher à mon bras pour éviter la chute.

— Je n'en puis plus, me dit-elle. Si demain ces gens ne sont pas partis je les prierai de le faire au plus tôt. Si Serano est un parfait hidalgo, la conduite de ses hommes est odieuse. Je crains que, demain, ils ne s'en prennent à nos paysans et ne se livrent à des exécutions.

Je la rassurai de mon mieux, disant qu'ils se tiendraient tranquilles en l'absence de Monluc. J'aurais aimé qu'il en fût ainsi, mais rien ne le laissait espérer. Elle me pria de rester près d'elle. Je passai le reste de la nuit dans un fauteuil, à son chevet, un pistolet dans la ceinture et dormis peu, les bruits de la fête me réveillant en sursaut dès que le sommeil s'emparait de moi.

À mon lever, peu avant l'aube, je trouvai dans le parc un spectacle hallucinant : des soldats cuvant leur vin, couchés dans l'herbe, des tables renversées et les couverts répandus sur le sol. Une fille du village, une adolescente, gémissait, adossée à un arbre, violée, me dit-elle, à plusieurs reprises par ces soudards ; les autres avaient réussi à s'éclipser avant de subir le même sort ; nos servantes avaient fait de même.

Après avoir donné des ordres pour que l'on réparât les dégâts de cette bacchanale, je me rendis à l'office pour prendre mon *matinel.* Le capitaine Serano m'y avait précédé. Il s'excusa de l'inconduite de ses hommes, promettant de réparer les dégâts et de distribuer quelques punitions, ce qu'il se garda de faire.

Il s'était fait servir du lait sur lequel il avait répandu une poudre noirâtre, dont je m'enhardis à lui demander la nature. J'appris qu'il s'agissait d'un produit récemment introduit en Espagne et en France : le chocolat. Il me raconta que cette poudre venait d'Amérique où les indigènes en faisaient un usage courant sous le nom de *cacao.* On en raffolait à la cour de Madrid et même au

Louvre. Il en avait toujours sur lui; cela lui redonnait de l'énergie.

Il m'invita à y goûter. Je ne lui cachai pas mon plaisir. Mêlée au lait, cette mixture avait un goût insolite mais savoureux.

— Je compte, me dit-il, en offrir un sachet à madame de Calvimont pour la remercier de son accueil.

Le soleil matinal inondait la forêt lorsque Serano fit sonner le rassemblement; il se fit non sans mal, la plupart de ses hommes ayant du mal à tenir en selle. J'allais veiller au lever de madame, quand Séverac, bouleversé, m'annonça qu'il venait de découvrir dans l'écurie, le cadavre d'une de nos servantes, la petite Miette, dénudée et la gorge béante. Je me rendis sur les lieux du drame. La victime, les yeux et la bouche ouverts, paraissait nous rendre responsables de son supplice. Je la fis recouvrir de paille afin que cet incident n'eût pas de suite avant le départ des soldats, et interdis qu'on en parlât à madame avant qu'ils ne se fussent retirés.

Je croyais que nous en avions fini avec cette horde. Une autre surprise nous attendait.

Après les adieux à madame, j'accompagnai par politesse le détachement jusqu'au village et constatai avec horreur qu'un bûcher avait été dressé sur le parvis de l'église, avec, à proximité, une torche allumée.

Le curé Rebeyre vint à nos devants, radieux, un gros crucifix de bois en main.

— Capitaine Serano, lança-t-il, il ne sera pas dit que vous quittiez ce village d'hérétiques sans assister au supplice du pire d'entre eux. J'ai rempli ma mission. Le bûcher est prêt ! S'il vous plaît de donner le signal...

Impavide mais de mauvaise humeur pour ce temps perdu, Serano fit ranger sa troupe en arc de cercle devant le bûcher et laissa le prêtre donner suite à sa *mission*. Aidé de deux reîtres, Rebeyre conduisit au bûcher un de nos métayers, Durieux, accompagné de sa famille. Je n'aimais guère ce personnage qui ne nous ménageait pas ses récriminations malgré sa réputation d'honnête homme. Je n'ignorais rien de son zèle à défendre en toute occasion, surtout quand il était ivre, sa foi calviniste, mais je me serais fait couper une main pour lui épargner ce supplice.

Rebeyre s'avança vers lui en le sommant de renier ses *croyances immondes*. Il s'écria, en lui montrant l'église :

— La porte de la maison de Dieu t'est ouverte. Accepte d'y entrer, repens-toi, et tu auras la vie sauve !

Un ricanement lui répondit, accompagné d'une voix âpre :

— Curé, je vous vomis, toi et ta religion ! Mourir ne me fait pas peur. Quant à toi, tes jours sont comptés. On te trouvera un jour égorgé comme un porc sur ton autel !

Rebeyre, de guerre lasse, glissa sa croix dans sa ceinture et ordonna aux reîtres de faire monter Durieux sur le bûcher et de le lier à la perche. La victime se laissa faire sans broncher, grimaçant un sourire, insensible, semblait-il, aux lamentations de sa famille comme aux protestations timides de quelques manants rassemblés là. Il se démena, proféra insultes et menaces à l'encontre du curé et des cavaliers espagnols, mais, lorsque les premières flammes léchèrent ses jambes, il se tut et tenta de se libérer. Il ne cessa de bouger et de hurler que lorsque le feu atteignit son ventre. Il ne put voir sa femme qui, son nourrisson dans ses bras, se précipitait vers le bûcher, ni entendre sa voix et ses sanglots auxquels les femmes du village mêlaient les leurs.

Adossé à un arbre, immobile et muet, comme en proie à une hallucination, je ne perdais rien de ce spectacle atroce. Je vis le corps de Durieux, libéré de ses liens rongés par le feu, s'effondrer dans le brasier. Une seule idée agitait mon esprit : le venger. Je me disais que Durieux avait raison et que cette abomination aurait son revers. Je me surpris à murmurer sans témoin : « Rebeyre, si personne n'ose s'en charger, c'est moi qui te tuerai. »

Une grosse pluie montant des lointains de la forêt allait mettre fin à la cérémonie expiatoire. J'assistai à l'extinction du bûcher d'où montaient encore des fumerolles et une fumée épaisse qui, en se dissipant, laissait entrevoir une tête noirâtre et des squelettes de mains noires. Sur l'ordre du curé, des manants entreprirent de dégager ce qui restait du corps pour le glisser dans un sac, le jeter dans une brouette et enfouir dans une friche cette dépouille d'hérétique qui ne méritait pas une terre chrétienne.

L'anathème de Durieux n'allait pas tarder à se réaliser, sans que j'eusse à donner libre cours à mon serment. Une dizaine de jours plus tard, le bedaud de l'église de Rouffignac découvrit le corps de Rebeyre au presbytère, ventre ouvert, entrailles éparses. J'ignore l'identité du vengeur, mais j'aurais eu plaisir à le féliciter. Il y eut peu de monde aux obsèques.

Je ne puis oublier ce que Serano m'avait confié au moment de prendre la direction de Rouffignac sous la pluie battante qui faisait lever sur la forêt des voiles de vapeur :

— Maître Renaudie, ne me tenez pas trop rigueur de cet acte. Je n'ai pu l'éviter, contraint que je suis d'assumer ma mission qui est de faire que l'armée royale trouve sur sa route des villages et des villes purgés de l'hérésie. Croyez-moi ou non, ce n'est pas de gaieté de cœur que j'ai laissé opérer cet immonde curé, mais c'était, si je puis dire, le moindre mal. Avec Blaise de Monluc il y aurait eu bien d'autres victimes et des chaumières incendiées.

Je m'étais contenté de répondre :

— Capitaine, je ne puis approuver la mort du bouc émissaire désigné par le curé. Mon avis est qu'à la violence répond toujours la violence et que seul sera béni de Dieu celui qui rompra cette chaîne démoniaque. Pour ce qui est de moi, je ne suis qu'un témoin de cette barbarie. J'attends, pour prendre parti dans cette querelle, que Dieu daigne m'informer de la cause la plus juste. Il me fait attendre la réponse.

— Je ne puis vous en tenir rigueur tant que vous ne manifestez aucune hostilité aux nôtres. En confidence, je suis moi-même las de cette guerre et du massacre de ces paisibles paysans. Mon souhait est de retourner au plus tôt dans mon château de Castille. *¡Hasta la vista, señor intendante!*

J'eus le cœur meurtri en apprenant, quelques jours plus tard, qu'en traversant le village de Milhac d'Auberoche Blaise de Monluc, accueilli par des imprécations, avait fait brancher une dizaine de paysans et laissé ses soudards se livrer à la lubricité, à des atrocités et au pillage.

En dépit du mouvement de révolte qu'il avait suscité en moi, le supplice de Durieux n'avait rien changé à ma volonté de garder ma neutralité, quitte à passer pour noir chez les blancs et blanc chez les noirs. J'avais conscience que cette sagesse innée, confrontée au milieu foncièrement catholique où j'avais baigné dans ma famille puis au château, risquait de me jouer des tours.

J'essuyais des blâmes plus ou moins explicites quant aux exercices de la foi catholique que je pratiquais avec un manque de conviction ostensible. Cette réserve me permettait d'être en bons termes avec ma conscience mais m'exposait à des suspicions venant des deux bords, ce qui m'obligeait à louvoyer entre Charybde et Scylla en risquant, à la moindre manœuvre maladroite, de donner dans un récif.

Ma raison s'insurge contre le dogme catholique qui proclame que Jésus, fils de Dieu, est né d'une vierge, a ressuscité et que son sang est présent dans l'hostie et le vin. En sautant la barrière symbolique séparant mon village du château, j'ai, au contact d'une nouvelle société, perdu ma naïveté. S'il m'arrive de consentir à assister à la messe en compagnie de mes maîtres, j'évite les gestes qui m'engageraient.

J'avais lu les *Instructions* de Calvin, le « pape de Genève », et n'y avais trouvé que sécheresse d'âme et de cœur, mépris des images, outrances verbales et condamnation des joies simples de l'existence. Lorsque j'engageais un entretien avec des réformés et que j'opposais quelque critique à leurs convictions, je passais au mieux pour un hédoniste, au pire pour un papiste.

J'aurais pu, à cette époque, tenir une chronique des événements dus à ce qu'il faut bien appeler une guerre civile. Les colporteurs qui passaient par l'Herm ou ceux que je rencontrais dans les auberges de Plisse ou de Rouffignac avaient tous des histoires atroces à raconter. C'étaient toujours ou presque des faits appelant des représailles, elles-mêmes réclamant vengeance, si bien que cette guerre larvée semblait ne devoir jamais prendre fin.

Un jour, au Soleil d'or de Rouffignac, un colporteur venu du Quercy me raconta que, dans un village qu'il avait traversé quelques jours avant, il avait été horrifié par une scène de torture : des soudards calvinistes avaient éventré un négociant catholique et enroulaient ses intestins autour d'un bâton sans cesser de lui demander d'abjurer sa foi.

Le remplaçant du curé Rebeyre, un jeunot pareillement agressif, Lavialle, raconta un dimanche, en chaire, une histoire tout aussi horrible : un prêtre capturé dans son église par des huguenots, cloué à une grande croix, revêtu de ses attributs sacerdotaux, avait été criblé de balles.

Si Monluc jouait les Attila en Périgord, le capitaine calviniste Geoffroy de Vivans n'était pas en reste, mais avec plus de panache.

Le chef des catholiques était détesté de la population pour ses actes de cruauté aveugle ; Vivans, en revanche, savait se faire aimer du peuple des villes et des campagnes, dont il était proche de par ses origines. Alors que Monluc courait les grands chemins avec son armée, il résidait dans le château des Milandes, dont il avait fait son quartier général et le point de départ de ses expéditions.

Je partageais l'angoisse de madame Marguerite. Sans nouvelles de Jean, elle le crut mort. Il n'en était rien. Il allait même nous revenir *couvert de gloire*, comme on dit…

Un courrier de messire Jean de Calvimont allait mettre fin à nos doutes. J'eus quelque peine à déchiffrer pour madame les dix pages couvertes d'une écriture maladroite, à croire qu'il les avait écrites sur la peau d'un tambour, et truffées de fautes.

Il nous racontait que l'armée de Monluc, qui, deux semaines avant, venant du Quercy, avait traversé le Périgord, était forte de vingt mille cavaliers et fantassins, d'une puissante artillerie et de la redoutable infanterie espagnole envoyée par le roi Philippe.

Cela, nous l'avions appris de la bouche de Serano. La suite de cette lettre faisait état de la marche de cette armée à travers la province.

Au début d'octobre elle franchissait la Dordogne entre Belvès et Siorac. Monluc avait prévu de prendre les Milandes mais on l'en avait dissuadé, cette forteresse étant réputée inexpugnable.

Il avait dû livrer bataille dans la forêt de Vergt à des groupes de calvinistes qu'il avait balayés comme d'un revers de main. C'est là que messire Jean l'avait rejoint avec son modeste détachement. Les jours suivants, il avait perdu quelques dizaines d'hommes dans des escarmouches mais avait fait des dégâts avec sa couleuvrine. Je passe sur le récit détaillé, sans gloire semblait-il, qu'il faisait de cette campagne, et qui n'avait d'intérêt que pour lui. N'ayant plus un sol en poche, il réclamait de l'argent à madame Marguerite ; elle le lui fit parvenir par l'émissaire qui avait apporté la lettre.

Un soir de pluie et de brume, des cavaliers et des piétons, au nombre d'une dizaine, demandèrent asile. D'accord avec madame, je fis baisser le pont-levis qui enjambe les douves. Celui qui paraissait être le chef descendit de cheval et ôta son casque. Je le reconnus aussitôt.

— Messire Jean ! Vous…

— C'est bien moi, Damien. Tu vois, je suis encore en vie. Comment va la dame Marguerite ?

— Au mieux, malgré quelques maux sans gravité que votre venue va dissiper. Je vous en prie : ne la faites pas attendre. Je m'occupe de vos gens et de leurs chevaux.

Il ne revenait pas indemne des escarmouches dans la forêt de Vergt. Une balle de mousquet lui avait traversé l'épaule et il souffrait d'une forte fièvre que sa longue marche avait intensifiée. Tandis que madame Marguerite faisait préparer sa chambre et allumer les braseros, j'enfourchai ma jument et galopai jusqu'à Rouffignac pour en ramener le vieux mire, maître Brugière, ancien charlatan de foire qui avait pignon sur rue. Nous ne retournâmes à l'Herm qu'au milieu de la nuit, après nous être égarés dans une *escoursière,* un raccourci qui méritait mal son nom, dans les parages de La Mouthe, par un brouillard épais comme laine brute.

La blessure de messire Jean était moins grave que nous ne l'avions craint, malgré l'infection qui l'avait gagnée. Maître Brugière n'eut guère de peine à extraire la balle de plomb qui s'était aplatie contre la clavicule, d'autant que le blessé n'avait pas tardé à perdre conscience. Il avait le front rouge et brûlant, ce qui ne présageait rien de bon. À en croire le mire, une tisane de thym et de sauge en viendrait à bout en un jour ou deux.

— J'ai exercé jadis, me dit-il, dans les marécages de la Double où la fièvre est une sorte de fatalité à laquelle personne n'échappe. Alors crois-en ma longue expérience. Ce qui m'inquiète, c'est la maigreur de ton malade. Comment pouvait-il tenir encore en selle ?

Il ajouta :

— À tout hasard, fais brûler un gros cierge dans la chapelle et dire des prières. Ça peut être efficace.

Je fis préparer une chambre pour le mire. Lorsqu'il repartit, au petit matin, il laissait le malade encore fiévreux mais avec moins d'intensité que la veille. La tisane avait été efficace. Quant au cierge et aux prières...

La dame m'avait confié le soin de veiller sur son malade, de lui faire boire ses mixtures et de jeter sur les braseros des herbes qui empestaient. C'est dire si je passai une nuit blanche dans un fauteuil, à me trémousser, mais la sieste me fit rattraper le sommeil perdu.

Le matin du troisième jour, je trouvai le malade libéré de sa fièvre et la blessure commençant à cicatriser. Quand je lui montrai la balle, il sourit et me dit :

— Je vais en faire un médaillon que je porterai comme un talisman jusqu'à la fin de mes jours. Crois-tu que je vais pouvoir, demain, remonter à cheval pour rejoindre l'armée de Monluc ?

— Je vous le déconseille. Nous verrons cela dans une semaine. Il va falloir d'abord vous requinquer. Vous êtes maigre à faire peur. Dès que vous serez rétabli j'aimerais que vous me racontiez les événements qui se sont déroulés à Vergt. On parle d'une véritable bataille en plus d'une série d'escarmouches.

— J'en étais, me dit-il, et me suis battu, comme le comte Roland contre les Sarrasins. Monsieur de Monluc m'en a fait compliment et m'a promis de parler de moi à la régente Catherine.

Ce n'est que trois jours après sa venue que messire Jean, qui se trouvait à la table de midi, nous raconta ce fait d'armes qui, s'il n'allait pas bouleverser l'ordre des choses, constituait pour notre province un événement de première importance. Je vais en faire le résumé aussi bref et fidèle que possible.

Un chef huguenot, le baron de Duras, cantonnait à Sarlat avec une petite armée quand, apprenant que le capitaine catholique Burie était en marche avec des forces supérieures aux siennes pour délivrer la ville, il s'en retira non sans avoir incendié quelques maisons des faubourgs et le monastère des Cordeliers qui lui avait servi de caserne.

Duras avait quitté Sarlat le 5 octobre. Trois jours plus tard, il se trouvait dans la forêt de Vergt avec une armée grossie par des gentilshommes de sa confession. Monluc et Burie n'étaient pas loin. Dans la nuit, du haut d'une colline, on pouvait apercevoir leurs feux.

Le lendemain, profitant de ce que les troupes ennemies se trouvaient éparpillées dans une vallée, Monluc se proposa de les en déloger, mais Duras et ses officiers avaient une meilleure connaissance que lui du terrain. Monluc se fourvoya, tomba dans des embuscades, éprouvant des pertes sérieuses. Comprenant sa bévue, le chef des catholiques fit regrouper ses compagnies et, appuyé par l'artillerie de Burie, fonça sur le gros de l'armée huguenote avec en tête les redoutables bandouliers espagnols. En moins d'une heure, après un semblant de résistance, l'armée de Duras se dispersait en tous sens.

— J'étais ivre de joie, me dit messire Jean. Mes hommes et moi, comme à la chasse, tirions sur les fuyards qui tentaient de se dissimuler dans les vignes et les arbres. Certains groupes tentèrent de nous résister par le fer et le feu. J'étais auprès de Monluc quand, l'épée au poing, il s'est lancé sur ces malheureux. Les balles ricochaient et le fer des lances glissait sur sa cuirasse sans rompre son élan. Quelle fougue chez cet homme déjà éprouvé par bien des combats en Italie et en Espagne ! J'ai fait usage de ma couleuvrine face à un groupe d'une dizaine de piquiers adossés à une falaise et j'en ai fait un massacre.

— Il semble, lui dis-je, que Duras ait réussi à sauver le plus gros de son armée en déroute, alors qu'elle aurait pu être anéantie.

— Il est vrai que Monluc a fait une grave erreur en renonçant à lancer sa cavalerie sur celle de l'ennemi. J'ignore pourquoi. Nous avons remporté un succès, pas une victoire. Duras est toujours en vie et doit préparer la riposte.

Messire Jean se trompait. Nous allions apprendre peu de temps après que Duras, avec ce qui lui restait de sa cavalerie, était en route pour Orléans où il comptait se mettre au service du chef des calvinistes.

Ce que mon maître avait omis, volontairement ou non, de nous révéler, c'est que, dans la poursuite entreprise contre les arrière-gardes huguenotes, Monluc avait reçu le concours spontané des paysans venus des villages d'alentour qui, ivres de plaisir, tiraient les fuyards comme des perdreaux et achevaient les blessés au coutelas.

Ce que nous redoutions tous, hormis messire Jean, finit par se produire. Des émissaires de Blaise de Monluc nous annoncèrent qu'il allait passer par chez nous. J'appréhendais cette visite. Accueillir cette armée, lui procurer les subsistances nécessaires et veiller à éviter le désordre n'est pas une mince affaire. Messire Jean me rassura : Monluc ne ferait que passer ; il n'était pas même certain qu'il restât la nuit au château.

Je n'oublierai jamais l'arrivée à l'Herm de ce personnage rendu célèbre à travers toute l'Europe par ses campagnes en Italie au temps du roi François Ier et qui s'était battu comme un fauve contre les Impériaux, à Pavie et à Cérisoles. Dans son château d'Astaillac, en Agenais, l'attendait son épouse, Antoinette Ysalguier, qui lui témoignait la fidélité et la patience de Pénélope pour Ulysse. Nommé lieutenant général pour la Guyenne, il avait, par la cruauté de ses répressions, reçu le surnom peu reluisant de « Boucher ». Dans la soixantaine, d'aspect rébarbatif et de taille modeste, à moitié chauve, claudiquant, le visage ravagé par une arquebusade devant Naples, il portait les morsures de la guerre comme autant de médailles.

À peine descendu de cheval, il demanda à voir son compagnon de route et à se faire présenter à la maîtresse des lieux. Le temps de se défaire, dans la chambre qui lui était réservée, de sa carapace et de ses armes, il entrait dans la grande salle que j'avais eu soin de pourvoir d'une chère délicate et de vins généreux. Autant qu'il m'en souvienne, il était vêtu d'un pourpoint de velours cramoisi, de chausses mal ravaudées et, jeté sur ses épaules, d'un casaquin gris soutaché d'argent, dont les bords s'effilochaient. Pour coiffure, un chapeau de soie grise élimée portant trois plumes et un galon décoloré. Il ne fallait pas s'étonner qu'à la cour on se gaussât de lui.

J'avais nourri l'espoir d'échanger quelques mots avec cet illustre personnage, mais il parut m'ignorer alors que je me trouvais au plus près de ma maîtresse pour recevoir ses ordres.

Le repas se déroula dans la plus franche gaieté, émaillé d'anecdotes par ce héros autour duquel commençait à se former une brume de légende. Lorsque, à la fin du repas, il se leva pour aller s'asseoir devant la cheminée, un dernier verre de vin à la main, il me fit signe de m'asseoir près de lui, sur un escabeau et me proposa de trinquer au retour de la paix.

Un feu de plaisir me monta au visage quand il me dit de sa voix rocailleuse de Gascon, sans quitter des yeux les bûches crépitantes :

— Votre maître m'a parlé de madame Marguerite et de vous : Damien Renaudie, si ma mémoire est bonne. Très attaché à sa dame, il a conscience que vous veillez sur elle avec une attention exemplaire et la soulagez des affaires du domaine. Il m'a parlé de vos dons pour l'écriture et de votre projet de raconter le conflit qui déchire votre province. Je vous en félicite. J'ai confiance en la tournure que le bon catholique que vous êtes donnerez à ce récit. J'ai quant à moi conscience de lutter contre un fléau comparable à la peste et d'être appelé par Dieu à le juguler. Tâchez de vous en souvenir lorsque vous vous mettrez au travail pour écrire ce mémoire.

Je me hasardai à le questionner sur la bataille de Vergt, messire Jean ne nous en ayant rapporté qu'une relation sommaire, confuse et n'embrassant que ses propres exploits. Il me manquait une appréciation générale que seul Blaise de Monluc était en mesure de me procurer.

— Vergt…, marmonna-t-il. Par la mort-dieu, une bataille chèrement gagnée. J'avais sous-estimé la valeur de Duras. C'est un grand capitaine et, de plus, il connaît mieux que moi ce pays et ces gens. J'avais rêvé de lui proposer un affrontement dans la plaine, mais il a compris que son infériorité en hommes et en artillerie lui jouerait un mauvais tour. Nous avons dû nous contenter de poursuivre son armée dans les vignes et les bois. Cette chasse aux parpaillots, divertissante en soi, nous a causé beaucoup de pertes. J'ai choisi de l'interrompre. Il est ainsi parvenu à sauver le plus gros de son armée.

Je lui demandai s'il avait établi un bilan des pertes, de part et d'autre.

— L'ennemi, me dit-il, a perdu environ six mille hommes et une partie de son artillerie, et nous deux cents à trois cents fantassins et une centaine de cavaliers. C'est une victoire, quoi qu'on en dise, mais elle me laisse un goût d'amertume. Cette armée, nous aurions pu l'anéantir et porter ainsi un coup fatal à l'hérésie, du moins dans votre province.

Blaise de Monluc allait, les semaines suivantes, se présenter à la cour et recevoir les lauriers dus à ses exploits. Louis, duc de Montpensier, un des proches de la reine Catherine, lui avait donné par dix fois l'accolade. Sollicité pour une nouvelle campagne en Normandie, il avait hésité puis renoncé à cette mission. En bon ouvrier de la guerre, il dut estimer qu'il avait fini son travail. En outre, venant d'apprendre la mort de son épouse, il éprouvait une douleur intense, une grande fatigue, et tenait à mourir dans son lit, à Astaillac.

Il lui restait à rédiger ses mémoires.

Monluc n'allait pas s'attarder au château. À la fin de la matinée il monta en selle pour prendre la route du nord. Il me gratifia d'un geste d'adieu de son gant et d'un sourire dont sa blessure à la face faisait un rictus. La troupe s'était bien comportée au cours de cette halte, mais nos réserves en subsistances avaient été mises à sac. C'est à moi qu'allait incomber sa reconstitution.

Mal remis de sa blessure, mon maître dut renoncer à suivre le train. Il me confia qu'il avait eu son compte et ne se consolait pas de la perte de sa couleuvrine, dont le canon surchauffé avait explosé, tuant deux de ses hommes. Il avait perdu son jouet favori.

3

LA DAME D'ABZAC

Nous avions, un peu à la légère, espéré que la défaite éprouvée par l'armée de Duras allait ramener la paix dans notre province. Il n'en fut rien. Fortement implantée dans la noblesse, la Réforme n'avait pas baissé pavillon. Elle allait même rebondir de plus belle sous la conduite de ce nouveau chevalier Bayard (sans peur sinon sans reproche !), Geoffroy de Vivans.

Né dans la forteresse de Castelnaud, domaine des Caumont dressé sur une rive de la Dordogne, il connaissait le pays et ses gens mieux que quiconque. Dès le début des hostilités, il s'était vu confier la défense du château des Milandes juché sur une falaise dominant le fleuve et doté d'une solide garnison.

Penché sur les documents de cette époque, je ne sais que penser de ce rodomont qui, jusqu'à son dernier jour, allait se tenir en permanence à l'affût de quelque exploit digne de conforter sa légende de demi-dieu barbare. Avec sa chevelure blonde, ses yeux d'un bleu intense, sa taille élancée et son torse épanoui, il en avait l'apparence. Ayant eu notre lot d'épreuves, nous nous serions bien passés de ce personnage qui laissait des traces de sang partout où il traînait ses grègues. Qu'il en rajoutât, avec sa verve batailleuse, m'exaspérait. Une brume lumineuse de gloriole ne peut effacer les malheurs et la misère du peuple.

Avant la fameuse bataille de Vergt, nous avions traversé des années de récoltes généreuses. Noblesse et Église avaient montré des exigences modérées pour les redevances dues par nos paysans. Ces derniers pâtissaient bien, de temps à autre, du passage des troupes et des hordes des deux partis, des pendaisons et du pillage, mais, somme toute, nous avions connu pire.

En revanche, l'année 1562, qui avait marqué la victoire de Monluc sur Duras, n'a laissé que de mauvais souvenirs dans ma mémoire. Le 1er mars, le duc de Guise, chef catholique des armées royales, traversait avec son armée le village de Wassy, en Champagne, où se tenait dans une grange une importante assemblée calviniste ; il lança contre eux sa troupe, fit massacrer une trentaine de fidèles et en blessa une centaine d'autres sans épargner femmes, enfants et vieillards. Quelques années plus tard, en Limousin (à nos portes), à La Chapelle-Faucher, l'amiral de Coligny, chef des calvinistes, lui donna la réplique en livrant au feu deux cent soixante paysans et leurs curés enfermés dans une grange.

Nous entrions de plain-pied dans le cycle infernal d'une guerre civile. Elle n'allait observer une trêve qu'avec l'accession au trône du prince calviniste Henri de Navarre ; il allait devoir opérer une conversion déchirante à la religion de Rome.

Années de guerre, années de misère. Pour comble, les caprices du temps : étés torrides suivis de pluies torrentielles, hivers d'une rigueur extrême allaient ajouter aux malheurs de la guerre.

En certains endroits de la province, la famine allait succéder à la disette. Quelques familles de l'Herm et de Plisse avaient quitté leur ferme pour se réfugier dans les villes où leur condition ne s'améliora guère. Dans la forêt Barade, des bandes de paysans s'étaient formées et ne subsistaient qu'en pillant des châteaux et en s'attaquant aux convois de subsistance.

Non seulement la noblesse et l'Église ne faisaient rien pour pallier ces événements tragiques, mais elles accentuaient leur pression pour arracher les redevances à des paysans qui ne pouvaient les régler. Jeter au cachot les réticents ne changeait rien à la situation. Pour comble, les autorités urbaines et l'armée avaient levé des taxes exceptionnelles et procédé à des réquisitions d'office accompagnées de brutalités.

À l'Herm un incident éclata lorsque messire Jean fit incarcérer dans nos caves une famille du village, les Cluzel, incapable d'honorer ces nouvelles taxes. Je réagis vivement.

— Messire, ces braves gens ont perdu deux enfants en bas âge à cause de la famine. Que pouvez-vous attendre d'eux ? Autant secouer un arbre mort pour en faire tomber des fruits ! Ces gens sont dépourvus de tout. Vous n'en tirerez que la honte d'avoir accompli une injustice.

Le visage congestionné, il laissa éclater sa colère :

— Dis-moi, Renaudie, crois-tu que je roule sur l'or ? J'ai eu ma part de sacrifices en vendant pour la boucherie quatre de mes chevaux, et mis en vente deux domaines pour lesquels je crains de ne pas trouver preneurs !

Pris de pitié pour ces braves gens qu'étaient les Cluzel, je veillai à ce qu'ils ne meurent pas de faim dans leur cachot. Avec la complicité de Julia, je partageai les restes de nos repas entre eux et ma famille. Chaque fois que j'ouvrais la cave, j'étais accueilli par des lamentations déchirantes, ou des imprécations quand je ne leur portais que des os à ronger.

Léonard Rigaud, quant à lui, jamais satisfait de mes secours, ne me l'envoyait pas dire. Je faillis me battre avec lui un jour où je n'avais pu lui ramener que du pain rassis et à moitié moisi.

— C'est ainsi qu'on traite sa famille, monsieur le châtelain ? me dit-il d'un ton rogue. Que veux-tu que je fasse de ces rogatons dont mes chiens ne voudraient pas ? Tu peux les remporter !

C'est ce que j'aurais fait si Albine n'était intervenue, disant que, sans doute, je ne pouvais faire mieux et qu'au moins les enfants auraient leur soupe.

Une quinzaine après leur internement, les Cluzel furent libérés grâce à mon intervention. Ils tenaient à peine sur leurs jambes, si bien que je les fis accompagner et soutenir par deux domestiques. J'avais glissé subrepticement dans la ceinture de la femme un gros chanteau de pain dérobé aux cuisines, et dans celle de Cluzel un pochon de farine et un peu d'argent. Il m'en remercia, ajoutant :

— Dieu te rendra tes bontés, Renaudie. Quant aux Calvimont, la peste soit de cette engeance ! Elle aura bientôt de mes nouvelles.

— Que veux-tu dire ?

— Tu le sauras bientôt.

Une semaine plus tard, éveillé au milieu de la nuit par des cris et une lueur insolite, je constatai qu'une de nos granges était dévorée par le feu. Nous allions perdre une partie de ce qui nous restait de foin et de paille. L'incendie s'étant communiqué à l'étable, nous perdîmes deux veaux et un bouvillon, le reste du troupeau ayant été évacué à temps.

Je n'eus pas à m'interroger sur l'identité du coupable, l'anathème de Cluzel me grésillant encore dans l'oreille. Messire Jean, quant à lui, s'en tenait à une autre hypothèse. Il avait, trois jours avant, alors qu'il revenait de Rouffignac, été attaqué par un groupe de paysans armés de bâtons ferrés. Il en avait tué deux avec ses pistolets et en avait fait pendre deux autres à un chêne. Le reste, trois ou quatre hommes, s'était dispersé. Les auteurs de l'incendie ne pouvaient être, pensait-il, que les rescapés. Je me gardai de le contredire.

Un matin, un voisin des Cluzel vint me prévenir que leur chaumière était déserte, la famille étant partie au petit matin pour aller on ne savait où. On retrouva dans leur logis ce qui restait de leurs deux chiens : ils les avaient tués et dévorés.

Depuis des mois, la santé mentale de madame Marguerite donnait des signes inquiétants. J'en eus l'intime conviction le jour où, alors que je lui apportais son *matinel*, comme je le faisais quand elle était souffrante ou avait passé une mauvaise nuit, elle se saisit du plateau et le jeta sur le parquet en s'écriant d'une voix aigre :

— Qui es-tu ? Qu'est-ce que tu fais dans ma chambre ? Hors d'ici, manant !

Le lendemain, c'est à Jean qu'elle s'en prit, l'accusant en termes virulents de la ruiner et de l'affamer. Elle sombrait peu à peu dans un monde peuplé de gens sans nom et sans visage. Les servantes avaient le plus grand mal à l'extraire du lit pour sa toilette et à lui faire boire un bol de lait.

Lorsque ses crises observaient une trêve, elle se plaignait de vivre en recluse et réclamait ma présence permanente à son chevet. Nous dédaignâmes de prévenir le mire car elle ne souffrait d'aucune maladie invalidante.

Un matin de janvier, alors que la neige venait de faire son apparition, Julia vint me prévenir que la dame s'était levée de bonne heure, sans attendre qu'on eût fait sa toilette. Elle avait traversé la grande salle d'un pas alerte, vêtue simplement de sa chemise, insensible au froid et à la neige, puis, ayant fait lever le pont, elle avait disparu. Je pestai contre les servantes et les gardes qui n'avaient pas réagi et interrompu cette promenade insolite.

Je décidai messire Jean à réunir quelques domestiques pour effectuer des recherches. Cela ne nous fut pas facile, la neige ayant recouvert les traces de la fugitive. À la fin de la matinée, un de nos chercheurs sonna de sa corne à la lisière d'une pinède pour nous alerter. Nous allions assister au triste spectacle de la dame gisant sur une mare gelée, au milieu d'une roselière, comme si elle avait eu l'intention de s'y noyer. La neige l'avait à moitié recouverte.

Nous eûmes du mal à convaincre le nouveau curé de Rouffignac, Lavialle, qu'il ne s'agissait pas d'une tentative de suicide mais d'une fugue qui avait mal tourné. Messire Jean ne fit montre, lors du retour de la dame à moitié morte au château, d'aucune émotion.

Quant à moi, si je gardais intact le souvenir de notre intimité, je ne manifestais à ma maîtresse qu'une affection banale et ne m'inquiétais guère. Elle avait, depuis des années, cessé de s'intéresser à mes travaux de généalogie comme à mes modestes essais poétiques, et les sentiments qu'elle éprouvait envers moi s'étaient figés, comme pris par les glaces.

Depuis quelques mois il était question au château du mariage de messire Jean avec une demoiselle issue d'une puissante famille de la province : Anne d'Abzac. Tout était prêt pour la cérémonie, mais l'état de madame Marguerite avait contraint à la remettre à Pâques. Nous avions donc le temps de nous y préparer.

Ma famille, Albine surtout, me pressait de faire de même, mais je n'y voyais aucun avantage, le célibat étant devenu pour moi une sorte de vocation intangible parfaitement conforme à ma nature et à mes idées. Je bénéficiais d'un physique agréable malgré ma boiterie, d'une santé sans aléas et d'une situation enviable, autant d'éléments qui m'ouvraient la route des aventures, pour la plupart charnelles plus que sentimentales.

Dans ma famille, il était inconcevable qu'un homme proche de la trentaine fût encore, sinon puceau, du moins célibataire. Pour ne pas fâcher la Grande nous l'avions convaincue que j'étais sur le point de convoler. Elle avait demandé à voir ma future épouse ; je lui avais présenté la fille d'un fermier voisin, qui s'était volontiers prêtée au jeu. La pauvre vieille avait pleuré de joie, mais pas la fille : elle s'était accrochée à moi, si bien que je dus payer grassement cette facétie.

Si M. de Brantôme avait daigné venir jusqu'à moi, j'aurais pu enrichir ses historiettes licencieuses de quelques anecdotes. J'avais mon content de dames galantes dans les châteaux des environs et de filles de paysans dans la paille ou le foin des granges. Si je ne daigne pas en évoquer les péripéties, c'est par discrétion et parce que ces relations n'intéressent pas mon récit.

Si ma famille regrettait mon célibat, elle ne pouvait qu'apprécier les secours dont je la comblais à la mesure de mes moyens. Léonard lui-même, malgré la jalousie hargneuse qu'il me vouait, devait en convenir. En temps de famine, ils avaient survécu grâce à mon aide. J'avais assumé une grande part des frais de noces d'une de mes sœurs, Julie, partie vivre aux Maurézies, chez un marchand de chevaux avec qui messire Jean faisait commerce.

Je garde un souvenir détestable du mariage de Jean de Calvimont, huitième du nom, seigneur de Tursac, Reignac, Saint-Paul-de-Serre et autres lieux, avec la demoiselle Anne d'Abzac. Tout, excepté la cérémonie religieuse, reposa sur moi, le vieil intendant, Carcenac, ayant rejoint ses ancêtres. Outre recevoir les gens de la noblesse dont l'exigence et l'arrogance me blessaient, je dus veiller à leur hébergement, à leur subsistance surtout car, en Périgord, on juge une noce à la qualité de la table. Certains, veufs ou célibataires, me réclamèrent même une compagne pour la nuit !

Le factotum que j'étais dut galoper jusqu'à Bergerac pour se procurer de quoi préparer le feu d'artifice que, grâce au ciel, un spécialiste se chargea d'allumer. Cette féerie céleste, si elle ravit nos invités, déclencha une panique chez nos paysans qui crurent la fin du monde venue. Il fallait de bons musiciens ; je trouvai à Périgueux un ensemble d'une dizaine de violons, de tambourins et de flûtes.

Par chance nous eûmes un temps de Pâques radieux. La forêt encensait ; le moindre chemin sentait la violette et le genêt en fleurs. Il n'y avait jamais eu autant d'oiseaux dans les arbres et les guérets.

Anne d'Abzac allait vivre parmi nous et défendre farouchement ses prérogatives de maîtresse de maison. Il y eut des heurts entre nous car je n'acceptais pas sans broncher ses caprices et ses colères. D'emblée elle me considéra comme un domestique ordinaire tout juste bon, me dit-elle, un jour où j'avais omis de faire nettoyer le parc, à « torcher le cul des mules » !

Très épris d'elle, messire Jean lui passait tout. Il avait même accepté, ce qui m'indigna, qu'elle amenât avec elle, en plus de deux servantes, une sorte d'intendant, Ebrard, qui allait partager le mépris de sa maîtresse pour ma personne. Le jour où elle demanda à son époux de me renvoyer, il s'y opposa avec fermeté.

Anne d'Abzac n'était ni belle ni laide. Sèche de corps et de visage, elle ne retenait l'attention que par sa chevelure opulente d'un brun de châtaigne, et des yeux de sultane, larges et sombres.

Elle descendait d'une des plus anciennes familles nobles du Périgord, qui avait donné à l'Église plusieurs évêques et un archevêque exerçant son apostolat à Narbonne. On se vantait dans sa famille d'avoir eu des ancêtres au temps des invasions normandes et de leur avoir résisté dans la forteresse de bois de Clérans. Le troubadour Bertran de Born parle d'eux dans un de ses *sirventes.*

Un des premiers soucis de notre nouvelle châtelaine fut de courir à travers notre coin de terre en carrosse à quatre chevaux pour se faire des relations dignes de son rang. Lorsque son époux, excédé de ces allées et venues et de ses réceptions, lui manifestait son aigreur, elle protestait :

— Je veux que cette vieille bâtisse s'anime, qu'on y organise des fêtes et des repas, de manière à ce qu'on en parle jusqu'à la cour. Vous êtes dépourvu d'ambition ? J'en ai pour deux.

C'est ainsi que, plusieurs fois par mois, j'aidais Ebrard à organiser des réjouissances pour plaire à madame. Je ne m'attendais pas à ce que l'on y fît assaut d'esprit, que l'on y dissertât des œuvres de Montaigne, de La Boétie ou de Rabelais. L'essentiel des entretiens portait sur les courses de chevaux de Sarlat, les boutiques de mode de Périgueux, les exploits de Geoffroy de Vivans, cet Antéchrist vomi par l'Église et, bien entendu, sur les ragots qui couraient la province.

Nous allions parler longtemps du grand événement qui marqua le Périgord, en août de l'année 1565 : le passage du cortège de la reine Catherine et de son fils, le futur Charles IX, âgé de quinze ans. Après avoir visité une grande partie du royaume, ils firent halte à Bergerac avant de reprendre la route de l'Île-de-France. Madame Catherine avait tenu à montrer à Charles son royaume et au pays leur souverain.

Cet événement eut lieu par une chaleur écrasante. Que madame tînt à en être ne me surprit pas. Messire Jean fit nettoyer le carrosse aux armes des d'Abzac, équipa richement son escorte et, avec ses meilleurs chevaux, traversa la forêt Barade. Je fis partie de cette équipée vêtu de mon costume de cérémonie, dans lequel j'étouffais.

Séverac avait fait de ma jument et de mon équipement une œuvre d'art.

Passant par Vergt, messire Jean tint à nous montrer sa couleuvrine restée dans le ravin, et les lieux des combats qui avaient déchiqueté les arbres. De là, par Beauregard, Campsegret et Lembras, nous fûmes, après trois jours d'un voyage épuisant, en vue de Bergerac.

Trouver une auberge eût tenu du prodige : elles étaient toutes envahies jusqu'aux greniers. Nous dûmes nous résoudre à des nuitées de fortune, sous des tentes dont messire Jean avait eu l'idée de se munir. Nous campâmes dans une prairie sèche, à usage de foirail. Madame se plaignit de l'inconfort et des odeurs de bouse, mais convint que nous ne pouvions espérer mieux, tous les espaces disponibles dans la ville ne l'étant plus.

Le cortège royal fit son entrée dans la cité le lendemain, suivi d'une petite armée. Ce n'est pas sans un sentiment d'insécurité que la reine avait décidé cette halte, Bergerac étant une des places d'armes des réformés. Si elle s'y décida ce fut pour montrer que les calvinistes étaient sujets du royaume comme les catholiques.

Les autorités municipales firent bonne figure aux souverains, ne leur épargnant ni les arcs de triomphe ni les musiques ni les réceptions. Le carrosse royal, après avoir traversé le fleuve, fit son entrée dans la ville précédé d'enfants qui chantaient des cantiques, puis de trois cents bateliers en costume bleu, portant leur aviron à l'épaule comme des mousquets, et enfin de notables, de centaines d'artisans et de marchands porteurs d'un rameau d'olivier.

Incommodés par la chaleur et suffoqués par la poussière, nous fîmes notre entrée dans la ville à la suite de ce cortège interminable. Nous eûmes du mal à parvenir jusqu'au lieu des cérémonies, le carrosse de madame et l'escorte de son époux peinant à fendre la foule dense comme au Jugement dernier, et plus encore à accéder à la tribune réservée aux familles nobles de la province.

De la cérémonie qui suivit, je ne vis pour ainsi dire rien depuis le bas de l'estrade où je me tenais en compagnie d'Ebrard. Les oreilles nous bourdonnaient de cris, de chansons et de musiques précédant les discours. Je finis par m'asseoir sur la marche du haut et m'endormis. J'avais, il faut le dire, passé une fort mauvaise nuit allongé à même l'herbe puante, sous le carrosse, à me battre contre les moustiques et les rats.

Je ne repris un soupçon d'énergie que le soir, lorsque les souverains se rendirent au château de Longa, pour une nuit de repos bien méritée.

Je passe sur la journée qui suivit, marquée par les entretiens des souverains avec les autorités religieuses, le sénéchal, les consuls et autres cérémonies. Un vent de délire soufflait sur la ville, autour des futailles disposées sur les places principales où des groupes de musiciens faisaient danser une foule d'ivrognes.

Messire Jean et son épouse n'avaient pas dormi sur le foirail : ils avaient trouvé refuge chez une relation des Calvimont, un maître batelier du quartier du pont, où ils passèrent, malgré le bruit, une nuit paisible. Ebrard et moi nous contentâmes de coucher à la belle étoile, mais la nuit, par chance, était belle et chaude.

Madame ne cachait pas sa déception. Elle n'avait fait qu'apercevoir les souverains, alors qu'elle avait espéré leur présenter ses hommages et, idée folle, leur demander de faire halte à l'Herm !

Je ne sais quelles tractations furent élaborées au cours des entretiens des visiteurs royaux avec les autorités, mais j'ai tout lieu de croire que, s'il y eut des promesses de paix, elles s'envolèrent à peine le cortège royal reparti vers la capitale.

Il laissait derrière lui une ville encore ivre, sur laquelle pesait une chaleur d'enfer. J'eus le spectacle, dans les rues et sur les places, d'ivrognes déambulant au milieu de gens qui cuvaient leur vin à même le sol, en proie aux coupeurs de bourses et autres larrons. Une odeur de vomi me poursuivit tout au long de ma promenade.

Tandis que les gens de la voirie s'attachaient à mettre de l'ordre dans cette chienlit, je me disais que les consuls commençaient à dresser le bilan des dépenses occasionnées par cette visite. À ce qu'on dit, les finances municipales eurent du mal à s'en relever.

J'espérais sans trop y croire que cet événement allait ramener la paix dans la province. Il allait, au contraire, s'accompagner d'un regain de violence.

Dans les premiers jours de septembre, alors que nous préparions nos futailles en vue des vendanges qui s'annonçaient généreuses, nous eûmes la surprise de voir s'amasser à notre porte une bande d'une cinquantaine de brigands sortis, semblait-il, des tréfonds de la forêt Barade.

Ces gueux, qui menaient grand tapage, nous demandaient asile pour la nuit et attendaient que l'on fît lever le pont ; en vain. Notre maître, ayant daigné parlementer avec eux, les envoya paître en des termes peu diplomatiques.

Il nous dit à son retour :

— Ce sont des parpaillots. Ils en portent les insignes et sont bien armés. Nous risquons de passer une mauvaise nuit, car ils vont, je le crains, revenir à la charge. J'ai lâché la meute dans la cour. Elle nous donnera l'alerte le cas échéant. Toi, Damien, et toi, Ebrard, ne comptez pas dormir cette nuit.

Il fit distribuer des mousquets et des pistolets à nos domestiques, avec l'ordre de se tenir dans la grande salle et d'être prêts à intervenir. Ebrard et moi restâmes en leur compagnie et jouâmes aux cartes à la lumière des chandelles.

Alors que je somnolais, accoudé à la table, les chiens me réveillèrent. Du fenestron des cuisines je vis, dans la clarté de la lune baignant la cour, quelques chiens affolés qui couraient en tous sens, aboyant ou gémissant, puis des ombres qui s'avançaient vers nous.

Après avoir pataugé dans les douves, les brigands étaient parvenus à plaquer contre le mur d'enceinte des échelles ramenées du village pour sauter dans la cour où ils avaient assommé ou égorgé quelques chiens. Messire Jean vint nous rejoindre avec son épouse encore en tenue de nuit et portant deux pistolets dans sa ceinture.

— Ces gueux, nous dit-il, sont nombreux, mais nous avons l'avantage d'être à l'abri. Nous allons les tirer comme des lapins, et sans risques. Il faut poster des hommes aux fenêtres de tous les étages, et de bons tireurs !

De ma position, face à la porte, j'avais mis deux assaillants hors d'état de nuire, quand une forte détonation m'étourdit : ils venaient de placer un pétard contre la porte mais elle avait tenu bon. Ils étaient en train de préparer une autre charge, mais nous ne leur en laissâmes pas le temps : des tirs partis des étages les en dissuadèrent. De guerre lasse, ils envisagèrent d'enfoncer la porte avec un bélier improvisé, mais là encore, avant même qu'ils l'eussent mis en branle sans protection, un feu nourri les dispersa.

Quelques instants plus tard, nous observâmes avec joie que ce qui restait des assaillants, revenus à leurs échelles, se débandait.

— Damien, me dit messire Jean, nous ne pouvons laisser partir ces brigands sans tenter de les exterminer. Suis-moi ! Nous allons leur donner la chasse.

— Je vous conseille de rester, lui répondis-je. Vous êtes blessé. Il faut vous faire soigner.

Une balle de mousquet lui avait arraché un pouce de chair à la joue droite. Il saignait d'abondance, au point que le devant de sa chemise était maculé de sang. Il finit par convenir que mieux valait se faire soigner et me laissa seul, avec une dizaine d'hommes, sortir de nos murs.

Il restait au bas des échelles quelques fuyards qui déchargèrent leurs armes sur nous avant de s'enfuir. Un de nos hommes hurla avant de tomber, touché par une balle de mousquet. J'avançai prudemment dans la pénombre avec encore un pistolet, quand je sentis un choc suivi d'une brûlure sur le côté droit de ma poitrine. Je trébuchai et me laissai dépasser par mes hommes. Ils allaient faire quelques blessés et capturer plusieurs fuyards qui, jetant leurs armes, demandaient merci.

Incapable d'assurer la mission dont messire Jean m'avait chargé, ma blessure me causant une douleur intense, je dus me faire aider par deux hommes pour me ramener au château.

Je perdis connaissance avant d'arriver à la porte et me réveillai un moment plus tard dans une chambre. Julia, assise à mon chevet, préparait de la charpie. J'entendis la voix de messire Jean. Malgré sa blessure, il tentait de rassembler sa meute amputée de trois molosses blessés, qu'il dut achever, le cœur meurtri à n'en pas douter, tant il affectionnait ces compagnons de chasse.

Si la blessure de mon maître, grave en apparence mais superficielle, ne nécessitait qu'un pansement, il n'en allait pas de même pour moi. Aux premières lueurs de l'aube, messire Jean envoya quérir maître Brugière, la balle de mousquet étant encore dans la blessure. Le mire resta une bonne heure, ses bésicles sur le nez, à fouiller dans ma chair avec une apparente délectation, comme s'il attaquait une volaille rôtie. Je ne supportai pas la douleur et perdis conscience. Quand je revins à moi, il me dit :

— Maître Renaudie, vous avez de la chance : la balle est restée coincée entre deux côtes, sinon le poumon était atteint, et alors…

Julia me réconforta d'un verre de liqueur de genièvre qui fit naître dans ma tête un joli bouquet d'étoiles. Je perçus le tintement de la balle jetée dans la cuvette. Elle était de fort calibre : celui dont on se sert contre les sangliers.

Le lendemain, le moment venu de statuer sur les blessés et les prisonniers, je m'enquis auprès de mon maître de savoir le sort qu'il leur réservait.

— Celui qu'ils méritent, me dit-il d'un air sombre. Quelques jours de cachot, sans nourriture et sans eau, afin qu'ils méditent sur l'inconvénient qu'il y a à me provoquer. Ensuite ce sera la corde, le châtiment ordinaire pour cette engeance. Tu es convié au spectacle.

Quelques jours plus tard, le moment du supplice venu, je fis effort pour me lever et accompagner Ebrard ouvrir la porte du cachot. L'odeur pestilentielle qui s'en échappa me fit suffoquer. Il y avait dans cette sentine plusieurs cadavres, les blessés n'ayant reçu aucun soin. Ceux qui avaient survécu, hâves, le visage décoloré, titubaient et suppliaient qu'on leur donnât à boire. Ebrard s'y opposa.

Lorsqu'ils furent rassemblés dans la cour, messire Jean leur demanda si leur chef était parmi eux. Un homme leva la main et se détacha du groupe.

— Mon nom est Delmas, dit-il. C'est moi qui ai monté cette attaque. Si c'était à refaire je n'hésiterais pas.

— Qu'espérais-tu en te rendant maître de ces lieux ?

— Venger le massacre des miens par vos soudards, le mois dernier à Madaillan. Tu devrais t'en souvenir,

Calvimont. Notre crime était d'avoir choisi d'être du côté des purs, je veux dire des fidèles aux doctrines de Calvin.

— Je ne m'en souviens pas, n'étant point de cette opération. Dis-moi, qu'aurais-tu fait si tu étais parvenu à tes fins ?

— Je t'aurais tranché la gorge, j'aurais jeté ta femme à mes frères d'armes, puis saccagé ta chapelle, peut-être mis le feu à ton château...

— Eh bien, vois-tu, si Dieu ne l'a pas permis, c'est qu'il n'est pas de ton bord. Tu peux faire ta prière à la mode de Genève.

Delmas rassembla ses hommes et, avec un bel ensemble, leur fit réciter des prières et chanter un cantique. Quand ils eurent terminé, ils furent menés sur la place du village où nos paysans avaient été rassemblés. Deux gardes s'emparèrent de Delmas, l'attachèrent à un arbre sans qu'il eût opposé la moindre résistance ni dit mot. On lui coupa la langue ; il vomit un jet de sang, éructa une longue plainte et se débattit.

— Faites taire ce goret ! s'écria messire Jean. Qu'il meure !

Un des gardes s'avança et lui trancha la gorge d'un coup sec.

Messire Jean avait bien retenu les leçons de Blaise de Monluc. Des cordes pendaient déjà aux basses branches. On allait faire durer cette exécution. Je fus contraint d'y assister, assis sur un banc, le cœur révulsé, en proie à la nausée. Des femmes s'évanouirent, des hommes ricanèrent et des enfants jetèrent des pierres aux pendus.

Deux prisonniers adolescents furent épargnés. Après avoir promis de renier leur confession, ils furent libérés après qu'on leur eût donné à manger et à boire. Les gens de Plisse et des environs, invités par messire Jean, vinrent contempler le spectacle des pendus qui, après quelques jours, commençaient à puer.

Madame nous assura qu'elle avait, d'une fenêtre du deuxième étage, abattu l'un de nos agresseurs. Elle s'en vantait, ajoutant qu'elle regrettait de n'avoir pu faire mieux, l'assaut ayant été bref. Je lui aurais volontiers tordu le cou.

4

LA PESTE NOIRE

Âgé d'une trentaine d'années et d'une santé sans faille, je fus vite remis de ma blessure et pus reprendre mon service.

Messire Jean avait décidé de faire réparer la toiture des écuries et les stalles des chevaux. C'est un chantier important qu'il avait choisi de me confier plutôt qu'à Ebrard, peu compétent en cette matière, comme d'ailleurs en beaucoup d'autres. Messire Jean l'avait jugé sévèrement lors de l'attaque des brigands de Delmas, ce pleutre s'étant caché dans sa chambre. Madame lui avait pardonné cette faiblesse – il était si jeune ! –, mon maître non.

Je dus parcourir des lieues afin de trouver des ouvriers pour la couverture et la menuiserie. C'était une gageure, les vendanges occupant les forces vives de notre province comme pour un rite sacré. Fils et filles de nos métayers quittaient leur famille durant une quinzaine pour se louer dans les grands vignobles du Bergeracois et du Libournais où ils avaient une nourriture abondante et de généreux émoluments.

Je dus attendre, pour ouvrir ce chantier, le début d'octobre. La main-d'œuvre, alors, ne me manquerait pas.

J'avais constaté, en courant la campagne, que, pour ne pas monter assez souvent en selle, je tenais mal mon assiette, ce qui agaçait ma jument Sultane. Je demandai conseil au maître palefrenier, Séverac ; il se fit un plaisir de me faire retrouver une conduite convenable, malgré ma boiterie.

J'avais plaisir à m'entretenir avec ce personnage. Il était resté plus de trente ans dans la cavalerie, et avait suivi le roi François en Italie. Il avait gardé un souvenir ébloui de la victoire de Cérisoles, en Piémont, dans l'armée de Monluc, l'année 1544. Il ne manquait aucune occasion d'en laisser gronder le canon dans les oreilles complaisantes.

J'avoue que j'avais plaisir à l'écouter, assis tous deux le cul sur la paille et fumant la pipe. Originaire du village de Puymirol, entre Agen et Moissac, il avait gardé l'accent rugueux et sonore de son pays qui donnait un relief étourdissant aux récits, qu'il accompagnait parfois d'une chanson de marche.

Il montrait un jugement impitoyable envers les chefs de l'armée royale, comme le comte d'Enghien et François de Bourbon. Ces bellâtres préparaient les batailles comme des parties de chasse et jetaient leurs troupes à l'aveuglette à la lourde artillerie des ennemis. En revanche il vouait une sorte d'adoration à Blaise de Monluc qui, avec ses huit cents arquebusiers, opposait un mur de feu aux terribles lanciers d'Espagne et aux lansquenets du marquis de Guast. Il avait vu son chef se battre dans la mêlée, le visage en sang sous la salade de fer.

Lorsque Monluc était passé par l'Herm, Séverac n'avait eu de cesse de le rencontrer. Ils avaient bavardé durant près d'une heure dans le patois de leur pays en mangeant des châtaignes devant la cheminée.

Il me dit un jour :

— Cérisoles, maître Renaudie, a été mon moment de gloire, mais faut dire que l'issue de cette bataille a été incertaine. Sans nos Suisses et nos gendarmes, nous étions foutus. Ce jour-là nous avons fait de l'armée impériale de la pâtée pour les chiens. Ils ont laissé sur le terrain plus de huit mille morts ou blessés, deux mille prisonniers, des canons et un trésor de guerre de trois cent mille livres d'argent !

Je ne boudais pas mon plaisir à l'entendre, tant sa faconde était généreuse et passionnée. Séverac n'avait pas l'allure d'un héros ; c'était un homme très ordinaire, ramassé sur lui-même comme une boule de chair et de muscles, au visage sanguin sous l'ample barbe grise. Il avait perdu trois doigts au cours d'une autre campagne, dans le Nord de la Castille, et reçu quelques blessures en d'autres circonstances.

Si je me suis attardé à parler de Séverac, c'est qu'il accomplissait ses fonctions avec un zèle irréprochable et que nous faisions souvent appel à lui. Au cours de l'attaque de la bande de Delmas, il avait tenu tête avec ses valets d'écurie à une dizaine de brigands qui en voulaient à ses chevaux ; il en avait abattu trois.

Connaissant le cheval mieux que lui-même, il me disait :

— Pauvre de toi, tu te tiens en selle comme le curé de Rouffignac sur sa mule ! C'est bien pour aller à la messe ou voir les filles, mais je te vois pas foncer sur l'ennemi. Tu as tout à apprendre, *miladiou* !

Il me fit, en premier lieu, étudier la « posture », afin, disait-il, que chaque partie du corps conserve une attitude aisée et que le cheval ne soit pas gêné. Il m'enseigna que l'appui du corps devait être réparti sur les fesses et que je devais garder une ligne verticale favorable au centre de gravité.

Je n'aurais pu avoir de meilleur maître. Sultane fut la première à montrer sa satisfaction. En revanche, les choses se gâtèrent quand elle dut prendre le trot et le galop, mais quelques leçons vinrent à bout de ces imperfections, si bien que je ne faisais pas triste figure en chevauchant de concert, en dépit de ma jambe, avec messire Jean ou madame Anne.

Je les accompagnais parfois dans les visites à leurs domaines, jusqu'au village et au château de Beauregard. Tandis que mes maîtres s'entretenaient avec l'intendant, je faisais la causette en fumant la pipe avec les villageois, sous la halle aux lourds piliers de pierre, coiffée de lauzes, où se tiennent foires et marchés.

Madame était une cavalière émérite, ayant appris à monter en selle après le biberon. En quittant sa famille, elle avait tenu à conserver les meilleurs de ses chevaux et n'avait pas sa pareille pour le débourrage et le dressage, au point de prétendre en remontrer à Séverac. Faisant commerce de sa passion, elle courait les foires traditionnelles et celles, clandestines, qui proposaient, dans des endroits discrets de la forêt Barade, des chevaux volés.

L'indifférence et le mépris qu'elle m'avait manifestés dans les premiers temps avaient fait place à une confiance qui se traduisait par une familiarité de bon aloi. Le jour où, dans le feu de l'entretien, elle me tutoya, je sus que nous ferions, si je puis dire, bon ménage. Il n'allait pas toujours en être ainsi par la suite.

Si le ciel, dans les années qui suivirent, nous combla de ses bienfaits, la guerre civile, en revanche, continuait à faire des ravages dans notre province et ses voisines.

Sous la conduite de Geoffroy de Vivans, les huguenots, rivalisant de hardiesse, n'hésitaient pas à s'en prendre à des localités importantes. Le jour où ils tentèrent d'investir la bastide de Domme, juchée sur une haute colline dominant la Dordogne, ils en furent pour leurs frais. En revanche, grâce à des complicités à l'intérieur des murs, ils s'emparèrent de Belvès et s'empressèrent, pour satisfaire à une odieuse tradition, d'incendier le couvent des jacobins.

Au début d'octobre, une armée calviniste, venant de la Gascogne pour se porter dans le Poitou prêter main-forte à leurs congénères, traversa le Sarladais. Aucune ville ne paraissait devoir résister à cette horde qui chantait des cantiques du poète Clément Marot.

Une anecdote plaisante à leur propos.

Parvenus dans un village où les vendanges venaient de s'achever, ils avaient réclamé de l'eau pour leurs chevaux. Comme la sécheresse avait tari puits et fontaines, ils s'étaient résolus à leur faire boire du vin. Les pauvres animaux, après avoir traduit leur ivresse par des pas de gigue et des hennissements, avaient refusé d'avancer et s'étaient couchés.

Quelques jours plus tard, une armée catholique les attendait à Saint-Astier. Elle leur coupa la route et, après un engagement sévère, les dispersa. Cette bataille allait avoir des conséquences tragiques sur cette ville. Le chef des huguenots, Arnaud de Piles, persuadé que la population avait pris fait et cause pour les papistes, s'était vengé par un massacre.

Il fallait en convenir : le cycle infernal de la guerre civile n'était pas près de s'arrêter.

Nous allions pâtir des suites de la bataille de Moncontour où l'amiral de Coligny avait été vaincu par le duc d'Anjou, le futur Henri III. Les cinq mille hommes de l'armée huguenote en retraite sous la conduite des princes de Condé et de Navarre allaient se replier sur notre province et se porter vers le Sud du pays. Elle passa comme une tornade, tenta de prendre Montignac, échoua devant les canons qui défendaient le pont, traversa la Vézère à Terrasson et alla semer ailleurs vandalisme et atrocités.

Geoffroy de Vivans allait apporter du panache à cette effusion de violence brute.

Sa défaite devant Domme lui restait comme une arête dans la gorge et, de plus, il rêvait de prendre Sarlat. Ces deux cités l'attiraient, l'une en raison de sa position réputée inexpugnable, l'autre par sa richesse. Il décida de choisir cette dernière comme théâtre de ses exploits.

Un soir, alors qu'il fêtait joyeusement mardi gras aux Milandes en compagnie de quelques capitaines, il leur annonça le projet qui venait de naître dans sa tête folle.

— Mes amis, dit-il, préparez-vous à passer une nuit blanche. Nous allons prendre Sarlat. On y fête Carnaval, ce qui veut dire que la garnison et les habitants ne seront pas en état de nous résister. Ce sera pour eux une fameuse surprise. Buvez une dernière gorgée, et en selle !

Les gentilshommes se consultèrent du regard en se disant que leur capitaine devait être ivre pour que de telles idées lui traversent l'esprit. Ils vidèrent les dernières bouteilles, chassèrent les drôlesses et les musiciens et se trouvèrent, sous une pluie glacée et dans la nuit, en route pour Sarlat.

Au lever du jour, la petite armée se trouvait sous les murs de la ville. Sans avoir à utiliser ses armes, Vivans se fit ouvrir par un garde ivre mort la porte de l'Andrevie, en se faisant passer pour bon catholique. Ses hommes tirèrent des salves dans les nuages et se ruèrent vers le cœur de la cité au cri de : « Gloire à Dieu ! Vive le capitaine de Vivans ! Ville gagnée ! »

L'estomac encore barbouillé par les excès du carnaval, les habitants durent se frotter les yeux pour se persuader qu'ils n'étaient pas la proie d'un cauchemar.

Ce n'étaient pas des *Ave Maria* qu'ils entendaient de leur fenêtre mais des cantiques calvinistes. Cette intrusion aux allures de fête allait vite tourner au drame. Il y eut des résistances parmi les autorités catholiques ; on les noya dans le sang.

Quelle ne fut pas notre stupeur, en apprenant cette étrange nouvelle : le calviniste Geoffroy de Vivans maître de Sarlat sans avoir eu à escalader les remparts et à livrer bataille, cela dépassait l'entendement !

Nous fûmes moins surpris d'apprendre que le pillage et le saccage des lieux saints, le massacre de quelques notables et de religieux avaient accompagné cet exploit. Le pire, pour les papistes, fut la destruction de la châsse contenant la sainte Épine, don de l'empereur Charlemagne, et le feu de joie que l'on avait fait des restes de saint Sacerdos, patron de la ville, jetés à demi calcinés dans un dépôt d'ordures. L'archidiacre Pons de Salignac, chantre de la cathédrale, avait été égorgé sur l'autel.

Une seule victime parmi les hommes de Vivans, le capitaine de Bournazel : il avait été massacré par des habitants excédés par ses rodomontades et sa brutalité.

Vivans n'allait pas tarder à payer pour son audace, ses sacrilèges et ses atrocités.

Dans les jours qui suivirent la prise de Sarlat, appelé à la rescousse par des calvinistes de Clairac, en Agenais, qu'assiégeait une armée catholique, il se fit étriller devant Fumel, s'enferma dans Libos, ville voisine, avant de retourner en Périgord, où, disait-il, il avait mieux à faire.

En arrivant devant Sarlat, il s'en vit interdire l'entrée, la population ayant gardé le souvenir de ses excès. Quelques mois plus tard, les catholiques en étaient de nouveau maîtres.

À part le coup de main de Delmas, nous n'eûmes durant cette période agitée guère de motifs de nous alarmer, peut-être en raison de notre isolement, au cœur de la forêt Barade. Des événements d'une autre nature allaient fondre sur nous.

Un matin de décembre, un de nos métayers, Duluc, vint réclamer notre aide au château, une de ses filles étant atteinte d'un mal contre lequel les tisanes ne faisaient rien. Madame me confia le soin de me rendre avec elle sur place pour constater la gravité de son état et voir s'il était nécessaire de faire intervenir le mire.

La petite gisait sur son grabat, inconsciente, fiévreuse mais bien vivante. Alors qu'elle accompagnait son père à la foire de Rouffignac, elle avait été prise de frissons, de maux de tête et de vertiges ; la nuit qui avait suivi, son état s'étant aggravé, son père avait décidé de nous confier ses inquiétudes.

Madame écarta la couverture et releva la chemise. Elle constata sur le bras droit une tache lenticulaire semblable au premier abord à une piqûre de puce ou de punaise, mais d'apparence charbonneuse ; l'épiderme, en se soulevant, formait une bulle libérant un liquide translucide et des filaments rouges ; la petite avait dû se gratter au sang.

— Damien, me dit madame, qu'en pensez-vous ?

— Cela ne me dit rien qui vaille. Une piqûre d'insecte, surtout en hiver, n'aurait pas eu cette gravité. Mon avis est qu'il faut faire venir maître Brugière.

Elle m'en chargea ; je pris la route de Rouffignac sans repasser par l'Herm et dus attendre des heures avant que le mire revînt de sa tournée matinale. Quand je l'eus informé des motifs de ma visite, il se laissa tomber dans son fauteuil, prit le temps de bourrer et d'allumer sa pipe avant de soupirer :

— Aux détails que vous me donnez, le pire est à craindre.

— Que voulez-vous dire ?

— Je pense que votre malade n'a pas échappé à la peste noire. En deux jours j'ai examiné une dizaine de malades qui portent les mêmes stigmates. Hier, un paysan de Peyrebrune en est mort. Ce matin, c'est une vieille qu'on a portée en terre. Prenez garde : cette maladie est très contagieuse et aucun remède ne peut la guérir.

Il tira une dernière bouffée, posa sa pipe, se leva péniblement et soupira :

— Je vous suis, Renaudie, mais je crains que ma visite ne soit inutile. Partons vite. La nuit va tomber.

Devant la ferme, alors qu'il faisait nuit noire et qu'il commençait à neiger, il s'opposa à ce que j'y pénètre, disant que je risquais d'être contaminé. Lui-même plaça sur son nez et sa bouche un tampon de charpie pointu, imbibé de vinaigre, qui lui donnait l'apparence d'un corbeau. Je n'eus pas à attendre longtemps dans la grange. J'entendis des lamentations, puis la porte se rouvrit.

— C'est bien ce que je craignais, dit Brugière. Cette pauvre enfant n'a que quelques jours, peut-être quelques heures à souffrir, sans autres remèdes que des fumigations d'herbes et des prières. J'ai obtenu qu'elle soit isolée dans une resserre, afin que personne ne l'approche.

Je l'invitai à boire un vin chaud. Il nous révéla qu'à Sarlat, ville insalubre entre toutes, la peste avait déjà fait des centaines de victimes dans toutes les classes de la société, ce qui, nous dit-il, donnait à ce fléau un caractère *démocratique*.

— Surtout, ajouta-t-il, évitez de vous y rendre. Si vous y êtes tenus, n'oubliez pas d'emporter de la charpie et une fiole de vinaigre. Si cela peut vous rassurer, cette épidémie ne durera pas plus d'une quinzaine et tous les pestiférés n'en mourront pas, Dieu merci. À la moindre alerte, prévenez-moi.

Il refusa de rester souper pour ne pas inquiéter sa gouvernante. Il encaissa ses émoluments, nous fit une courbette et disparut sur son vieux cheval dans la neige et la nuit.

La fille de Duluc mourut trois jours plus tard. Nous en fûmes avertis par le glas de l'église paroissiale. Par prudence, nous évitâmes d'assister à la cérémonie funèbre ; elle fut vite expédiée en raison du froid intense et du risque de contamination. En attendant le dégel, le corps fut placé derrière la grange où, le soir même, une bande de loups nous en délivra.

Madame Anne ayant interdit toute sortie à ses domestiques, je passai des jours mornes dans ma cellule, à lire et à contempler le désert de neige de la forêt Barade sur laquelle, au-dessus des vallées, tournoyaient des nuées d'oiseaux noirs. Toutes les nuits, nous avions la visite de loups affolés par l'odeur des étables, et qui, accroupis le long des douves, nous chantaient leur cantilène de la faim. Des paysans avaient retrouvé, sur le chemin qui mène à Plisse, ce qui restait d'un colporteur et de son chien : les os, les vêtements, la caisse et les produits dispersés autour.

J'aurais aimé mettre au net quelques notes que j'avais prises sur les événements, mais, outre que ma main droite s'y refusait, mon encre avait gelé. Le brasero que j'alimentais en permanence, sauf la nuit, me dispensait une chaleur parcimonieuse tout juste bonne à m'éviter de mourir de froid.

Le château était plongé dans une étrange léthargie. Je ne me joignais à mes maîtres que lors des repas, devant le feu qui grondait dans la cheminée. Nous mangions en silence. Parfois, histoire de nous réchauffer le sang, mon maître et moi nous livrions, sous la conduite de Séverac, à des exercices au sabre et à l'épée ou au jeu de la volée.

Un matin, désobéissant à la consigne, je rendis visite à ma famille. L'épidémie était restée à sa porte. Une des filles, une gamine de huit ans, Claire, avait suscité quelque inquiétude : en revenant de poser des collets, elle s'était alitée avec la fièvre, mais ce n'était qu'un mal de gorge qui disparut grâce à la tisane de lierre : un remède qui ne faisait pas défaut.

Léonard m'annonça que la peste avait fait des vides chez les Delmas, des hérétiques dont les cantiques n'avaient pas réussi à chasser l'intruse.

La peste avait emporté une dizaine d'années plus tôt une victime prestigieuse : Étienne de La Boétie, dont le père, Antoine m'avait jadis aidé dans mon travail de généalogiste.

Étienne avait, la trentaine passée, consacré son énergie et son intelligence à tenter, de concert avec son ami Montaigne, de faire régner la paix dans la province.

Il avait dû s'aliter au retour d'une mission auprès des chefs calvinistes Geoffroy de Vivans et Chilhaud des Fieux. Il avait disparu sans avoir obtenu la moindre promesse. Bien que nos rapports eussent été sommaires, son souvenir restera gravé dans ma mémoire. J'aurais aimé parler avec lui de son ouvrage : *Discours de la servitude volontaire,* autrement appelé le *Contr'un*, mais il avait toujours quelque affaire en cours et je n'étais pas pour lui un personnage de grande importance. Je me suis nourri de cette lecture plus que de mes propres commentaires.

J'ai lu avec passion cette œuvre magistrale qui restera liée à son nom plus que ses poèmes de jeunesse. Inspiré des auteurs de l'Antiquité, cet ouvrage se signale par des idées audacieuses et un ton original. Étienne se révolte contre la tyrannie des pouvoirs civils, religieux et militaires. Abusivement, les huguenots allaient y voir une diatribe contre leurs ennemis catholiques. Ils avaient dû mal ajuster leurs bésicles…

Eût-il vécu plus longtemps, Étienne aurait figuré, à l'égal de Montaigne et de Brantôme, parmi les plus grands auteurs de son temps.

Lorsqu'une mission ou une simple promenade me conduit sur les rives de la Dordogne, il m'arrive de me remémorer le poème qu'il a consacré à ce fleuve qui le fascinait : *Je vois bien, ma Dordogne, encore humble tu vas/De te montrer Gasconne, en France tu as honte…*

Montaigne est resté jusqu'à sa mort inconsolable de la perte du seul véritable ami qu'il eût jamais. Que n'aurais-je pas donné pour assister à leurs entretiens et à leurs controverses politiques, philosophiques ou littéraires. Dieu merci, il me reste ce trésor : leurs livres.

Je n'ai pas oublié que c'est dans sa belle demeure, au cœur de Sarlat, alors que je rapportais à son père des documents empruntés, que j'avais rencontré pour la première fois ce garçon d'environ dix ans, maigrelet, au physique ingrat mais au regard brillant de perspicacité. Après m'avoir demandé la nature de mes recherches et fait mine de s'y intéresser, il m'avait confié qu'il avait d'autres soucis en tête : un rendez-vous avec le nouvel évêque de Périgueux, un Florentin de la plus belle eau, Niccolò Gaddi, proche des Médicis et de la reine Catherine.

Grâce à un Calvimont, conseiller au parlement de Bordeaux, avec lesquels il entretenait des liens de parenté, Étienne avait fait partie, très jeune, de la prestigieuse assemblée. Il allait y rencontrer Michel de Montaigne et s'attacher à lui pour la vie.

Je n'ai pas ressenti la mort d'Étienne comme un drame intime, mais il avait éveillé en moi le regret de n'avoir jamais eu dans ma vie un tel personnage qui aurait pu partager mon esprit de tolérance, et devenir un confident et un ami.

Sans être un savant, j'étais dévoré de curiosité pour les hommes et les idées. Mes modestes écrits ne pouvaient que donner l'illusion d'un écrivain ou d'un philosophe, d'autant que je n'avais personne à qui les faire apprécier. Je ne puis de même me targuer d'avoir été un poète : les vers que j'adressais à mon ancienne maîtresse, madame Marguerite, sentent trop l'insincérité pour présenter quelque intérêt.

Au sens strict du mot, j'étais un *solitaire* sans autre préoccupation que les soucis du quotidien et incapable de les rattacher à la destinée humaine.

J'aurais aimé trouver en Julia une oreille attentive, sinon m'en faire une amie, ce qui dépassait mes espoirs. Je fis quelques tentatives qui, dépassant le quotidien, auraient pu provoquer entre nous des entretiens exempts de banalité ; elles furent vaines. Conscient d'y perdre mes illusions, je renonçai à l'engager dans cette ascension: Julia était belle mais sotte. On peut soigner l'ignorance, on ne guérit pas de la bêtise.

Au début de sa présence à l'Herm, notre jeune maîtresse n'avait guère éprouvé d'intérêt pour mes fonctions. Ce n'est qu'après avoir pris conscience de l'incompétence d'Ebrard qu'elle m'avait laissé les coudées franches. Pouvais-je lui demander autre chose que cette marque de confiance intéressée?

Désormais maître de l'intendance, je détenais un pouvoir occulte, dont je me gardai d'abuser.

Rien ne se faisait d'important que l'on ne me consultât. Compter sur messire Jean pour prendre des initiatives eût été une utopie. Dépourvu de jugeote, il n'était attaché qu'à ses menus plaisirs: chevaux, jeux de table, festins et beuveries, à quoi s'ajoutaient des coucheries mal ficelées mais qui semblaient laisser sa jeune épouse indifférente.

J'avais parfois avec madame de menus conflits dus à sa nature cupide. Si j'avais suivi ses consignes à la lettre pour les récoltes nombre de nos paysans eussent été réduits à la misère. Les tailles et autres redevances ne rapportant jamais assez à son gré, elle m'en rendait responsable. Elle refusait d'admettre qu'à trop tondre le mouton on ne trouve plus de laine. À plusieurs reprises je sauvai des métayers menacés de voir leur contrat dénoncé.

Le jour où elle me reprocha d'avoir des rapports privilégiés avec ma famille, je regimbai. Elle s'écria, l'index pointé sur moi comme un pistolet, en me tutoyant comme cela lui arrivait parfois :

— Je te surveille, Renaudie ! Dis-toi que tu as affaire à une fine mouche. Si tu peux berner facilement mon époux, il n'en sera pas de même avec moi. Je n'ai pas eu mon content du chanvre que cultive ta famille. Pourquoi ?

La moutarde me montant au nez, je rétorquai :

— Oubliez-vous, madame, ou faites-vous semblant, que la sécheresse de cet été a détruit la moitié de la récolte ? Les soupçons dont vous m'accablez me sont insupportables. À la Saint-Martin, je prendrai congé de vous.

Du coup, elle se vida de sa colère, se mordit les lèvres, se tordit les mains, et bredouilla :

— Je te regretterais. Oublie mes propos, s'il te plaît.

— Madame, les comptes sont à votre disposition. Libre à vous de les étudier sans parti pris.

Les comptes ? Elle faisait mine de les consulter mais, très vite, perdait pied et refermait le registre d'un geste sec, disant que tout lui paraissait de bon aloi.

J'allais assumer encore longtemps mes fonctions au château et assister aux drames dont il allait être le théâtre.

Madame se trouvait aux écuries alors qu'elle venait de monter un nouvel étalon, quand elle me dit :

— Pardonnez ma curiosité, Damien. Je me demande pourquoi, à votre âge, la trentaine passée, je crois, vous restez célibataire ?

— C'est, madame, que je suis trop attaché à votre famille pour m'en créer une autre.

— Vous avez fait au collège de Sarlat, m'a-t-on dit, des études qui auraient pu vous permettre d'envisager une carrière dans la magistrature et un riche mariage.

— Mon père y aurait consenti, mais nous avons traversé une période difficile qui lui a interdit le moindre sacrifice supplémentaire. Je suis né, madame, d'une famille pauvre.

Elle insista :

— Mais enfin, Damien, vous êtes encore jeune, en parfaite santé et bel homme en dépit de cette légère boiterie. Entouré de femmes et de filles comme vous l'êtes, vous n'auriez eu que l'embarras du choix pour vous trouver une épouse. On dit que vous et Julia... Bref! Vous avez fait un bon choix et je n'ai rien à y redire d'autant qu'elle assure son service à la perfection. Qu'attendez-vous pour l'épouser ? Je vous donne d'avance ma bénédiction.

Excédé par cette insistance j'allais rompre notre entretien mais la surprise me figea sur place. Elle me dit, sans cesser de caresser l'encolure de son étalon :

— Damien, il faut que je vous confie un secret. Mon époux, plus jaloux qu'il n'y paraît, nourrit des soupçons à votre égard. Il est persuadé que nous nous rencontrons en catimini et sans motif apparent. J'ai du mal à l'en dissuader. Pourtant, il est vrai que...

Elle gratta nerveusement la ganache de son étalon avant d'ajouter d'une voix embarrassée :

— Il est vrai... qu'en diverses occasions... nous aurions pu, si j'ose dire... passer du bon temps. Par exemple… lorsque je viens consulter les comptes dans votre cabinet de la tour.

« Nous » ! Elle en parlait à son aise. À aucun moment de nos entretiens privés, dans ma cellule ou ailleurs, je n'avais ressenti la moindre attirance pour elle et, dans le cas contraire, j'aurais su maîtriser mon désir. Sa maigreur, son visage couleur de pâte à pain, son caractère capricieux et acariâtre ne m'eussent pas encouragé à faire le premier pas.

Par crainte d'irrévérence, je m'abstins de lui dire qu'elle faisait fausse route. Elle dut prendre mon mutisme pour un accord car, sans tenir compte de ma gêne, elle poursuivit son monologue en évoquant sa « solitude mentale », les exigences brutales de son époux et le « manque d'affection » dont elle souffrait.

C'est ainsi qu'en dépit de mes réticences, je devins, à contrecœur (ou presque), l'amant de madame Anne d'Abzac, épouse Calvimont. J'en tirai peu de satisfaction charnelle et moins encore de fatuité.

En l'absence de son époux, fréquemment sollicité par la guerre, nos relations avaient pour théâtre sa chambre où elle m'imposait de la retrouver de nuit, deux ou trois fois la semaine. Elle faisait montre d'un élan juvénile, alors que, pour ma part, j'avais l'impression d'accomplir une mission conforme à mon service, heureux si j'en tirais quelque plaisir.

Madame accoucha une nuit de décembre 1585, sans trop de douleurs, d'une fille née avant terme mais qui s'accrochait à la vie. Bien qu'ayant l'aspect d'un lapin écorché, elle était normalement constituée. On lui donna le prénom de sa grand-mère : Marguerite.

Si, par cette nuit glaciale, l'enfant n'avait pas survécu, j'aurais pu inscrire le mot « fin » au bas de cette page.

5

NAISSANCE D'UNE MARGUERITE

Dans les années qui suivirent mes relations fastidieuses avec la dame du château, nous avons traversé des périodes semées d'embûches.

À des hivers d'une rudesse extrême avaient succédé des étés torrides. Des nourrissons moururent de froid dans leur *beneste* et le bétail dans les étables ; les loups interdisant les déplacements en solitaire, fût-ce d'un quart de lieue, nous ne pouvions quitter l'Herm sans une solide escorte.

L'été venu, le blé et le sarrasin, ayant du mal à germer, rissolaient en quelques jours. On trouvait des oiseaux et des rongeurs crevés autour des mares asséchées ; seuls les serpents supportaient ce climat d'enfer. Ma famille perdit ainsi la quasi-totalité de sa récolte de chanvre.

En toutes saisons, la forêt Barade constituait le lieu permanent affecté au banditisme. Une horde d'une cinquantaine d'hommes établis dans une forêt proche de Beauregard ne subsistait que par des pillages de fermes et de convois. Messire Jean, s'étant juré d'en débarrasser le pays, organisa une expédition composée d'une trentaine de cavaliers armés en guerre. Ils surprirent cette maudite engeance dans ses loges de feuilles, en sabrèrent une bonne part et ramenèrent les survivants à l'Herm où ils furent branchés sur la place du village, à son de flûte et de tambour.

Le succès facile de cette opération ne pouvait faire oublier des événements d'une autre importance qui agitaient nos cantons et les voisins.

À Bouzic, en Quercy, près de Gourdon, un capitaine de brigands, Gerbe, avait élu domicile pour lui et sa bande dans une grosse tour dominant la vallée du Céou. Il fallut le siège en règle du capitaine de La Roque-Martin, pour les déloger et les pendre. Le même sort attendait la redoutable bande de La Brugère, en Sarladais, qui fut exterminée. Celle qui opérait autour du château de Montfort, de purs huguenots ceux-là, traqués par la garnison catholique de Domme, périrent en traversant la Dordogne.

Il faudrait plus de cent pages pour raconter par le menu ces faits et leurs conséquences sur la vie de la population. Ces événements étaient si fréquents que nous en avions pris l'habitude au point de n'éprouver aucune émotion en les apprenant. Trouver un pendu accroché à un arbre ne provoquait en moi aucun trouble.

L'horreur était devenue quotidienne.

Un soir d'octobre, le passage d'une comète allait ranimer les superstitions et jeter la panique dans les esprits attardés. Il est vrai que celle-ci s'entoura d'un luxe de lumière et de couleurs d'une rare intensité, dont je fus plus ébloui qu'inquiété.

À la tombée de la nuit, une gigantesque lueur d'un rouge de sang a illuminé le ciel au-dessus de la forêt Barade. Couvert en entier par cet étrange phénomène, il est resté intensément lumineux environ une heure après que le soleil eut disparu. Du seuil de leur chaumière, les femmes ont conjuré ce phénomène par des prières et des chandelles. À Rouffignac, le curé a reçu nombre de confessions de fidèles certains de vivre la fin du monde.

Le plus savant homme de la province et peut-être du royaume, le chanoine Jean Tarde, nous a fourni l'explication rationnelle de ce phénomène céleste. Cette inquiétante clarté crépusculaire venait, disait-il, « de la propriété de la nuée que le soleil ne pouvait voir, passé huit heures du soir, à cause qu'elle était fort basse, et tout le monde crut qu'elle présageait quelque grand mal ». Nous dûmes, faute de mieux, nous contenter de cette explication.

Il m'aurait plu de faire place dans ce récit au chanoine Jean Tarde, qui avait installé son laboratoire et son cabinet d'astronomie au château de La Roque-Gageac, sur une rive de la Dordogne, où il était né. Ses talents allaient faire parler de lui à la cour et le désigner comme l'un des aumôniers du roi Henri IV. Il connaissait bien notre province mais, mieux encore, son ciel : il y lisait comme dans un livre grâce à une lunette astronomique.

En 1575 s'était produit un événement propre à jeter les catholiques dans la confusion : les troupes de Geoffroy de Vivans s'étaient emparées de notre capitale, Périgueux !

Je n'ai vu qu'une seule fois ce chef calviniste. C'était quelques années avant, alors qu'il avait fait une brève halte à l'Herm où nous l'avions reçu avec des grimaces. Il était resté une heure à s'entretenir avec messire Jean, sans que rien ne filtrât de cette conversation, sinon une alternance d'éclats de colère et de rires sonores.

Avant de nous quitter, cet aventurier m'a remercié pour la qualité du repas et des vins que je lui avais fait servir. Il m'a remis discrètement un exemplaire des *Instructions* de Calvin. Je l'ai glissé dans ma ceinture en me demandant si j'allais le lire ou, pour ma sécurité, en faire une flambée. C'est à cette dernière résolution que je me suis résolu, après quelques heures d'une lecture ennuyeuse et stérile.

Profitant de ce que la guerre sévissait autour de Montignac entre les reîtres catholiques de M. de Bourdeille (Brantôme, le futur auteur des *Dames galantes*) et un fort contingent calviniste, Vivans, partant des Milandes, allait faire sur Périgueux une tentative réussie, la garnison catholique ayant été imprudemment amputée d'une centaine d'hommes appelés à battre la campagne.

M. de Bourdeille, ayant appris cet audacieux coup de main, courut à bride abattue vers Périgueux et ne put que constater le désastre. La sagesse lui dicta de renoncer à un siège qui lui aurait coûté des pertes importantes en hommes, en chevaux et en matériel d'artillerie. Ce n'est qu'en l'année 1581 que cette ville allait retourner dans le sein de l'Église romaine.

Dans les mois qui suivirent, le parlement de Bordeaux fit de Sarlat, à défaut de Périgueux, la principale place de sûreté de la province, ce qui occasionna un va-et-vient inhabituel dans notre forêt. Les aubergistes en firent leurs choux gras.

La mort de Blaise de Monluc, dans son repaire d'Estillac, proche d'Agen, me laissa de glace. Nommé maréchal de France en 1577, il aurait pu vivre à la cour, mais, servant de cible aux railleries des courtisans de la reine et des mignons du roi pour les blessures qui l'avaient défiguré, il avait choisi de se retirer. Ce n'était, m'a-t-on dit, qu'un vestige vivant de la guerre : corps déjeté, boiterie, visage ravagé par une arquebusade, blessures de la tête aux pieds… Il occupait sa retraite à raconter, dans ses *Commentaires*, les exploits de guerrier, dont il pouvait s'enorgueillir, et ceux de bourreau, dont il tentait de se justifier.

La guerre civile continuait à sévir dans le pays quand un sursaut de sagesse de la part des deux partis y avait mis un terme provisoire par un traité conclu à Beaulieu, en Touraine, près de Loches.

Il y avait du bon dans cette trêve qui accordait aux calvinistes quelques places de sûreté pour exercer leur culte. Le cratère semblait éteint mais il en montait encore fumerolles et flammèches. Les extrémistes catholiques se disant floués, ils souhaitaient le retour de l'Inquisition.

Qui aurait pu leur faire confiance et oublier leurs excès dans la nuit de la Saint-Barthélemy, quatre ans auparavant ?

L'Église se démenait pour retrouver ses privilèges au point d'engendrer un monstre : la Ligue, autrement appelée l'Union catholique. Henri de Lorraine, duc de Guise, en prit la tête. Surnommé « le Balafré », à la suite d'une blessure au visage, il était la créature du roi Philippe d'Espagne qui ne lui ménageait pas l'or des Amériques et les troupes.

En quelques mois notre province allait être envahie par des hordes de prédicateurs, curés, moines ou bedeaux, qui traînaient dans leur sillage une odeur fétide de meurtre, le fanatisme aveugle étant devenu dans la religion une contrainte abjecte.

Réunis à Blois, les états généraux se révélèrent impuissants à mettre un frein à cette frénésie. Pris de démence, le jeune roi Charles IX avait quitté ce monde, abandonnant son trône au troisième fils de la reine Catherine, Henri III. On n'en disait guère de bien dans nos provinces, la nôtre en particulier, car il était plus à l'aise avec ses mignons dans une salle de bal qu'avec ses ministres dans son cabinet. L'autorité royale fondait comme neige entre ses mains sans qu'il parût s'en soucier.

Le prince calviniste Henri de Navarre attendait son heure dans son gouvernement de Guyenne, assis entre deux chaises, ses convictions religieuses faisant ombrage à ses ambitions au trône. Il allait vivre dix ans dans cette situation inconfortable, sans rien abandonner de sa foi armée, s'efforçant de ramener la paix par des rencontres suivies de traités éphémères.

Ces événements nous parvenaient, souvent déformés du fait des idées partisanes, par les chemins de la forêt et par les gazettes que j'allais feuilleter à Rouffignac ou à Sarlat, deux ou trois fois par mois. J'avais l'impression qu'ils se déroulaient dans un autre monde, au-delà de la forêt Barade. Il y avait bien encore, dans nos parages, des escarmouches mais c'était notre quotidien et, sauf si nous y étions engagés, cela ne nous troublait guère.

L'année 1585 fut marquée, je l'ai dit, dans notre petit monde, outre par la naissance de Marguerite, fille d'Anne d'Abzac et de Jean de Calvimont, par diverses calamités dont je me dois de parler.

Une nouvelle épidémie de peste noire emporta dans notre village une dizaine de victimes parmi lesquelles le dernier enfant de ma sœur Albine et de Léonard. Elle sévissait de même dans les villages d'alentour. Le mire de Rouffignac, maître Brugière, qui s'était dévoué dès le début à se battre contre l'épidémie, n'y survécut pas ; il fut remplacé par un jeune praticien de Montignac, Pierre Duroc.

Au château, la maladie consentant à nous laisser vivre, nous n'eûmes pas une seule victime : j'avais fait en sorte que nul n'entrât ni ne sortît du château durant toute la durée de la peste. Nous survécûmes, et fort bien, grâce à nos réserves en subsistances.

Je veillai sur la petite Marguerite comme sur l'enfant que j'aurais aimé avoir, et avec d'autant plus d'affection que ses parents oubliaient parfois son existence pour se perdre en querelles stériles. Madame partageait son temps avec des amies proches ; lui à d'interminables parties de chasse ou à des expéditions contre les bandes qui maltraitaient nos paysans.

J'appris à Marguerite à faire ses premiers pas dans le parc doté de roulettes que je lui avais confectionné et à jouer avec les poupées de bois que je lui taillais et que Julia coloriait et revêtait de touailles de couleur. Pour l'endormir, lorsque je n'avais pas quelque mission à accomplir, je me tenais à son chevet et lui fredonnais dans notre patois les berceuses de mon enfance. Lorsque je me penchais vers elle en agitant ses hochets, il me plaisait qu'elle me sourie en agitant ses petits membres.

La dame et moi avions espacé puis mis un terme à nos relations intimes. Cette rupture intervint à la suite d'une querelle qui mettait en cause ma famille : elle me soupçonnait injustement d'avoir favorisé mon beau-frère Léonard dans le règlement de ses redevances. De l'amour, je n'ai perçu, au cours de nos rendez-vous nocturnes, que la satisfaction offerte à une virilité généreuse. Notre rupture fut comme le final tempéré d'une partition de clavecin, si bien que je n'en souffris pas.

J'avais révélé à Julia, afin d'en libérer ma conscience, mes rapports avec madame Anne. Du coup, elle avait regimbé et s'était refusée à moi, mais elle m'était revenue, la liberté m'ayant été rendue de disposer à ma guise de ma virilité. Cette drôlesse était une bonne pâte de femme, débordante de santé et d'un appétit charnel qui me laissait parfois sur le flanc. Si l'idée de convoler m'était venue à l'esprit, c'est elle que j'aurais choisie. J'aurais aimé qu'elle me donnât un enfant, mais, connaissant les bonnes herbes, elle s'y refusait, à moins que je ne me décide à en faire ma femme.

Je ne puis éviter la relation d'un événement qui eut dans toute la province un écho de longue durée : le siège de Sarlat par le nouveau chef des calvinistes, le vicomte de Turenne, l'année 1587. Ce devait être pour lui une revanche à la défaite de Coutras, devant l'armée royale du prince Henri de Navarre.

Turenne avait perdu beaucoup d'hommes dans cette bataille. En traversant le Périgord, ayant médité sa revanche, il prit la route de Sarlat avec ce qui restait de son armée : solide infanterie, lanciers et arquebusiers tant à pied qu'à cheval et redoutable artillerie.

Il semblait avoir oublié qu'on ne prend pas, même avec six mille hommes, une place forte aussi bien défendue que Sarlat, dont les portes ne sont pas des clôtures de jardin. Vivans ne les avait ouvertes naguère que grâce à une complicité.

Prévenues de cette intrusion, les autorités civiles, la garnison, la population et même les gens d'Église se mirent en devoir de défendre leur cité.

Le 26 novembre, sous un ciel gris chargé d'une neige imminente, Turenne arriva en vue de Sarlat et déploya autour de ses remparts une ceinture de fer et de feu.

La garnison était en petit nombre, mais renforcée par les effectifs des seigneurs catholiques des environs, tous animés de la même ardeur.

Le lendemain, dans l'aube grise, branle-bas de combat chez les défenseurs.

Divisées par quatre, leurs forces, se portèrent sur les portes principales et les endroits vulnérables des remparts. Prévoyant un long siège, les autorités avaient fait sortir les « bouches inutiles » et entrer des troupeaux, des chariots de farine, de pois et de vin. Les femmes allaient fabriquer des munitions, poudre, grenades, pétards, cartouches, lances à feu, dans la grande salle du couvent incendié naguère par Vivans. Des brassiers avaient nettoyé les fossés, creusé des tranchées et dressé des barricades à l'intérieur, en vue d'une bataille de rues. Les brèches avaient été consolidées par des sacs de terre et de laine brute.

Turenne ne paraissait pas pressé de passer à l'attaque : il fit cantonner le gros de ses troupes dans les parages et se retira pour affiner ses plans de siège dans un château voisin, Montfort, où il menait joyeuse vie avec ses officiers.

Une mauvaise surprise l'attendait. Un matin, sous la neige, il prit la route de Sarlat : un groupe de cavaliers sarladais fondit sur son cortège et, après quelques heures d'un engagement féroce, lui tua une dizaine d'hommes. Dans la soirée, alors qu'il inspectait les bivouacs, il fut témoin d'un spectacle hallucinant : une véritable pluie de feu tombant des remparts suscitait un mouvement de panique dans sa troupe, les lances à feu ayant incendié une bonne partie des tentes. Du haut de leurs murs, les Sarladais lui donnaient la sérénade : musique, chansons et danses, des drôlesses retroussant leurs cotillons pour lui montrer le plus séduisant de leur personne.

Dans la ville, au cours de l'après-midi, l'évêque avait appelé la population à une grande assemblée devant la cathédrale, pour l'inciter à remplir son devoir. L'évêque, ayant béni les défenseurs en armes, leur avait lancé cette exhortation pathétique :

— Nous allons jurer de mourir pour que cette cité ne renonce pas à l'union de la religion et de la royauté. Que la mort frappe qui osera parler de se rendre !

Tous, la main crispée sur la poignée du coutelas, jurèrent d'une seule voix.

Consigne des autorités : éviter de répondre aux injures par des blasphèmes ; ne laisser apparaître qu'un hautain mépris.

Les événements allaient se précipiter.

Le 30 novembre, alors que neige et brouillard noyaient le paysage, Turenne fit donner de la voix à ses bouches à feu qui, durant des heures, allaient transformer le sommet des remparts en enfer. Une brèche se produisait-elle, les défenseurs couraient comme des fourmis pour la combler. Un matin, les couleuvrines de Turenne ouvrirent une trouée d'une telle dimension que deux charrettes auraient pu s'y croiser.

Lorsque Turenne reçut des marchands de Bergerac venus le ravitailler en munitions, il leur annonça que la prise de la ville était une question d'heures. Toute la terre des cimetières et des jardins de la ville, ajouta-t-il, ne pourrait combler cette énorme crevasse. Il eut la pénible surprise de la voir occupée par des groupes d'arquebusiers qui firent le vide parmi les serveurs des bouches à feu.

C'est de l'extérieur qu'allait venir, pour les assiégés, un secours qu'ils n'attendaient pas.

Alertées, des compagnies de diverses seigneuries catholiques firent mouvement vers Sarlat malgré le vent âpre et les bourrasques de neige qui aveuglaient les montures. Ils parvinrent, par un effet de surprise, à traverser en trombe les lignes ennemies et à pénétrer dans la ville.

Le sort de la ville pouvait se décider sur la grande brèche, devenue le point de fixation du siège.

Contrarié par le mauvais temps et décidé à en finir au plus vite, Turenne fit donner l'assaut à trois reprises. En vain : les assaillants se heurtaient à un feu nourri de mousquets et de canons de petit calibre, faciles à manier. À la fin de la journée, Turenne avait perdu une trentaine d'hommes, quatre officiers, plusieurs gentilshommes et une cinquantaine de blessés. Pour quoi ? Pas même pour la gloire. Pour rien.

À chaque tentative, il entendait chanter par les défenseurs qui se ruaient sur son artillerie une complainte improvisée disant : *Turenne, tu n'entreras/Mais plutôt tu crèveras*, ce qui lui mettait les nerfs à vif. Des émissaires des consuls lui ayant proposé une paix honorable après la levée du siège, finirent de l'exaspérer. Il y répondit par un feu d'enfer qui écrêta les remparts et creva le toit de quelques maisons, puis il prépara un assaut sur un autre point de la défense; une contre-attaque allait l'en dissuader.

On était le 10 décembre et, après une quinzaine de jours, le chef calviniste n'avait rien fait d'autre que battre la pierre. Le doute commençait à le miner quand il éprouva une autre raison de s'alarmer: une troupe catholique, rassemblée à Montignac, à environ six lieues de là, faisait mouvement vers Sarlat avec une centaine d'arquebusiers à pied et à cheval. Leur avant-garde n'allait pas tarder à forcer ses lignes et à pénétrer dans la ville. Le gros de la troupe n'était pas loin.

La rage au cœur, son honneur bafoué, Turenne décida, le matin du 14 décembre, de lever le siège. Il avait laissé dans cette malheureuse expédition sept officiers, environ cinq cents hommes et une bonne part de son artillerie. Il allait avoir du mal à expliquer aux chefs calvinistes cette rude saignée. Les défenseurs, eux, comptaient tout au plus une vingtaine de victimes.

Un vent d'alacrité allait souffler sur la ville. Après une procession conduite par l'évêque, on ripailla aux flambeaux durant toute la nuit. La nouvelle de cette victoire étant connue de la cour, le roi et la reine envoyèrent des émissaires aux Sarladais, les félicitant de leur courage et les remerciant d'avoir fait mordre la poussière aux parpaillots. Les habitants furent exemptés de la taille pour trois ans et les consuls reçurent un pactole de trente mille livres en bon argent. Les excités de la Ligue célébrèrent l'événement par des arquebusades joyeuses.

Comblés d'honneur et d'argent, les consuls de Sarlat n'allaient pas tarder à déchanter en apprenant que le calviniste Henri de Navarre se proposait, pour venger Turenne, de réduire cette insolente bicoque. L'affaire paraissait sérieuse, le prince disposant de forces réputées invincibles. Il n'allait pas commettre les bévues qui avaient contraint Turenne à se retirer : il rangerait sa puissante artillerie non au pied des remparts mais sur une éminence dominant la ville d'où elle l'écraserait sous ses boulets jusqu'à sa reddition inconditionnelle.

Les Sarladais attendirent dans l'angoisse cette nouvelle armée : elle fit défaut. À la réflexion, pour Henri de Navarre cette bicoque ne méritait pas un tel déploiement de force. Il avait d'autres soucis, et de plus grande importance.

Vivans, lui, n'avait pas désarmé. Il n'allait pas se frotter à Sarlat qui ne lui avait pas laissé que des souvenirs agréables. Son objectif était Domme, son premier échec contre cette redoutable bastide lui étant resté en travers de la gorge.

L'année suivante, il déciderait de tenter un coup de main, de nuit et par surprise, une méthode dans laquelle il excellait. Suivis d'une trentaine d'hommes, deux de ses capitaines, Bordes et Bramarigues, entreprendraient d'escalader la paroi verticale de la Barre, une falaise que couronnait la terrasse rocheuse dominant la Dordogne.

La bastide ayant la réputation d'être inaccessible, nul n'avait songé à la fortifier de tous côtés. Grâce à un complice mis dans la confidence, le petit groupe pénétrerait sans encombre dans la ville. Regroupés sur la place centrale, ils feraient un tel tapage que toute la ville se réveillerait, persuadée qu'elle venait d'être prise.

À la pique du jour, l'armée de Vivans passerait en fanfare sous la porte des Tours.

6

LES SURPRISES DE LA FORÊT

Sollicité sans relâche par cette maîtresse exigeante qu'était la guerre, messire Jean de Calvimont n'hésitait jamais à lui rendre hommage entre deux parties de chasse. Le corollaire était ses absences fréquentes et, de la part de son épouse, des journées lourdes d'inquiétude.

Il me proposait parfois de l'accompagner à titre d'écuyer, mais je lui faisais comprendre que ma présence était nécessaire au château et que, n'étant guère porté sur les armes et boitillant, j'aurais eu de la peine à l'assister. Je me serais senti mal à l'aise dans cette horde composée en majeure partie de jeunes paysans turbulents de nos domaines, auxquels il faisait exécuter des exercices et qu'il payait avec des fèves.

Il avait choisi pour ces manœuvres, auxquelles j'assistais parfois à sa demande, une clairière dans la forêt, près du hameau des Bessades. Il avait là une de ses maîtresses, la jeune et jolie fille d'un de nos métayers, Alice, mère d'un bâtard de six ou sept ans, son portrait vivant.

J'ose avouer qu'encore jeune et viril, je ne me faisais pas faute, en son absence, de le remplacer auprès de cette enfant.

Peu après le début du siège de Sarlat par Turenne, mon maître avait décidé, pour y faire bonne figure, de se procurer une nouvelle couleuvrine, la précédente gisant toujours au fond d'un ravin, dans la forêt de Vergt. Cette pièce d'artillerie à traction animale, montée sur affûts de bois, tire son nom de sa longueur et de sa finesse. Je lui en procurai une, rescapée de la bataille de Coutras, chez un armurier de Lalinde.

Lorsque je descendis du cheval qui tractait cette merveille, il la caressa longuement, comme la cuisse d'une femme avant l'amour, et me dit :

— Je te félicite, Renaudie, tu as fait un bon choix à ce qu'il semble. Nous allons voir ce dont cette pièce est capable.

La couleuvrine fut traînée sur les arrières du château, dans le parc où subsistaient des ruines. À la demande de mon maître, devant toute la maisonnée, on prit pour cible un pan de muraille à demi recouvert de lierre.

J'avais ramené de Lalinde un sac de boulets et des pochons d'une poudre spéciale. Je donnai sa pâture à la belle, ajustai la cible et laissai à messire, fier comme Artaban, le soin de poser la mèche sur la lumière en lançant au groupe des servantes :

— Cessez de jacasser, drôlesses ! Le moment est solennel. Imaginez que le capitaine Vivans soit à la place de ce mur. Il ne resterait même pas quelques poils de sa barbe.

À peine eut-il joué les boutefeux, je le vis bondir en arrière et s'accrocher à moi dans le souffle de la déflagration. Si le pan de mur était toujours debout, la couleuvrine, après avoir vomi son boulet à trois pas, était dans un triste état : elle avait, je ne sais pourquoi, explosé, son embouchure fumante ouverte comme une pêche trop mûre.

Messire Jean se cognait la tête avec ses poings, gémissait et trépignait en tournant autour de l'épave, quand soudain il s'en prit à moi en hurlant :

— C'est de ta faute si j'ai failli être tué ! Tu aurais dû vérifier la bonne qualité de cette pièce. De quoi ai-je l'air ? Tu entends ces rires ? Tu mériterais...

Il ne précisa pas la nature du châtiment que je méritais. Je rétorquai qu'avec le peu d'argent qu'il m'avait confié je ne pouvais lui rapporter qu'une pièce d'occasion. J'eus du mal à l'en convaincre.

L'humiliation éprouvée devant tous ses gens allait lui rester longtemps en mémoire alors que, s'il avait eu quelque esprit, il aurait été le premier à en rire. Je me chargeai, dans l'heure qui suivit, aidé de quelques solides gaillards, de jeter la couleuvrine démantibulée dans les douves, à l'arrière de nos murs. Et l'on ne parla plus de cette affaire.

Quelques semaines après ce malheureux incident, alors que la neige ne laissait subsister sur la forêt que quelques pinèdes sombres, mon maître reçut un émissaire du seigneur d'Hautefort l'invitant à prendre part aux tentatives de délivrance de Sarlat assiégée par Turenne.

Il partit le lendemain avec une dizaine de cavaliers et autant d'hommes de pied pour Montignac où avait lieu le rassemblement. Il tenta de me persuader que ma présence lui serait utile, mais je tins bon dans mon refus et il partit fort irrité contre moi.

Je dois à Léonard, engagé dans cette expédition, le récit de la bataille qui avait précédé l'entrée des renforts dans la ville.

— Notre maître s'est bien battu, me dit-il à son retour. J'avais du mal à le suivre et à le protéger tant il poussait son cheval avec ardeur. Je l'ai vu, alors qu'il était à trois pas de la brèche, se faire accrocher par un grappin, tomber à terre et tenter de se relever. Un fer de lance lui a traversé la gorge.

Je lui demandai comment lui, Léonard, avait fait pour soustraire le cadavre aux soldats ennemis.

— Ces brigands, me répondit-il, s'acharnaient sur lui pour voler ses armes et ses bijoux. Une charge de messire d'Hautefort nous en a délivré. J'ai porté le corps sur mes épaules pour le mettre à l'abri de cette maudite brèche et attendre la fin du siège pour vous le ramener.

Nous avons placé le corps de Jean de Calvimont dans la chapelle du château. Il avait perdu une telle quantité de sang qu'il était sec comme le bois de son cercueil et aussi pâle que son linceul. Une semaine plus tard, nous avons profité d'un redoux pour l'inhumer dans la chapelle, sous une dalle.

Sa veuve faisait peine à voir. Au chagrin provoqué par son veuvage brutal s'ajoutaient les soucis qu'il allait lui occasionner. Elle maudissait le seigneur d'Hautefort d'avoir entraîné son époux dans l'aventure de Sarlat et m'en voulait de ne pas l'avoir assisté. Elle ajouta :

— Mon mari serait encore de ce monde si tu avais accepté de le suivre, mais tu tiens trop à ta précieuse personne !

Je la laissai se libérer de sa peine et de sa rancœur, persuadé que ce serait ajouter à son épreuve que de lui faire admettre l'injustice de ses reproches. J'étais conscient que, désormais, la marche de la maison allait reposer sur moi. Quelques jours après l'inhumation, elle me supplia, précaution superflue, de continuer à assumer mon service ; elle me promit d'augmenter mes gages, ce que je me gardai de refuser, un de mes neveux faisant à ma requête, à Périgueux, des études dont j'assumais le coût.

Un autre décès allait endeuiller la famille Calvimont.

Sur la fin de l'hiver, la première fille de mes maîtres, Jeanne, fut prise de frissons et de maux de tête qui nous firent redouter un retour de la peste noire, dont les symptômes étaient identiques. Fort heureusement il n'en fut rien. En revanche, elle en mourut après des accès de toux sur la nature desquels le nouveau mire, Duroc, se montra perplexe.

J'avais redouté qu'elle fût la proie d'une maladie contagieuse qui eût mis en danger la cadette des filles, Marguerite, cette fillette si chère à mon cœur. Me souvenant de mes relations intimes avec madame Anne, j'aurais pu être son père. Il me semblait retrouver sur son visage des traces imprécises de mes traits.

Alors qu'elle entrait dans sa quatrième année et se montrait vive comme un pinson, je ne savais qu'inventer pour la distraire. Elle délira de plaisir le jour où, avec la complicité de sa mère, je la pris dans mes bras pour une première promenade sur ma jument Sultane. Je me disais, d'accord avec Séverac, qu'il serait bon de l'initier très tôt à l'équitation. Nous n'aurions pu trouver meilleur maître.

Messire Jean était décédé depuis deux ans quand la dame eut l'idée saugrenue d'acquérir, à la foire aux chevaux qui se tenait en pleine forêt, un poney à l'intention de Marguerite qui allait avoir six ans.

Après quelques mois d'exercice sous la férule de Séverac, et d'excellents résultats, madame décida d'emmener sa fille effectuer une randonnée dans les parages, en ma compagnie. J'objectai que nous risquions de mauvaises rencontres ; elle répliqua que nous ne partirions pas sans une escorte dont Séverac et moi allions prendre la tête.

Nous partîmes après le *matinel*, alors que le soleil du printemps faisait gazouiller toute la forêt. Les prairies crépitaient du chant des grillons et des courtilières, des cailles piétaient dans l'herbe nouvelle. Des odeurs de giroflées, de lilas, d'aubépines, mêlées à celle des pinèdes, nous venaient par bouffées. Au revers des talus, myosotis, renoncules et millepertuis perçaient une terre encore humide et froide de la dernière averse.

Nous avons pris la route du sud menant à Rouffignac, madame ayant prévu un repas à l'hostellerie du Soleil d'or où nous avions nos habitudes les jours de foire.

La dame profita de cette halte pour consulter notre mire, Duroc, sur ses maux d'estomac et ses insomnies. Elle le quitta rassurée, des tisanes plein ses fontes. Elle était un peu ivre, semblait-il, après avoir vidé à elle seule une bouteille de bergerac. Depuis la mort de son époux, elle compensait son veuvage par des beuveries solitaires qui gâtaient son caractère.

Cette première chaleur du printemps était telle que je chevauchais en manche de chemise et dépoitraillé, botte à botte avec madame qui, de temps à autre, se mettait à chanter une ritournelle et à éclater d'un rire niais. Marguerite se tenait fort bien en selle sur son poney dressé par Séverac, avec une tendance à abuser du galop, en laissant trop de liberté à sa fringante monture.

En arrivant en vue du gros village de Meyrignac, je décidai madame à nous autoriser le plaisir d'une galopade sur un espace du plateau où ne poussait que de la fétuque et du chardon bleu. Nos montures y prirent autant de plaisir que nous.

Au milieu de l'après-midi, entre La Coste et Pataurelle, alors que des brumes diaphanes commençaient à floconner dans les fonds, nous eûmes la surprise de voir un groupe d'une dizaine de bougres mal fagotés nous barrer la route. Celui qui paraissait être le chef, un solide gaillard barbu jusqu'aux yeux et coiffé d'un chapeau à demi rongé par les rats, descendit de sa monture et, un vieux mousquet au poing, nous lança en langue du pays :

— Bien le bonjour, messieurs et dames. Salut à toi, Renaudie. *Miladiou !* Tu me reconnais pas ou tu fais semblant ? On a séché une cruche, le mois dernier, au Soleil d'or. Souviens-toi : tu venais d'acheter une génisse.

Comment aurais-je pu ne pas reconnaître Montarel, cette graine de bandit ? Il s'était gobergé à mes dépens, comme s'il me croyait aussi riche que l'évêque de Périgueux.

— Je te reconnais, lui dis-je sans descendre de cheval, et je te rends ton bonjour, mais nous avons trop de chemin à parcourir avant la nuit pour faire la causette. Alors tu vas baisser ton arme et dire à tes compagnons de s'écarter pour nous laisser passer.

Il éclata de rire, comme si je plaisantais. J'ajoutai :

— Dis-moi, Montarel, il me semblait que tu vivais à Balou de tes ouailles et de tes truffes. On dirait que tu as mal tourné.

— C'est pas moi qui ai mal tourné, foutre, mais les vents. Ils sont capricieux ces temps-ci, tu le sais aussi bien que moi, monsieur l'intendant des Calvimont. Si tu passes un jour par Balou tu reconnaîtras plus ma ferme : c'est un tas de cendres. Alors tu me donnes dix écus pour le passage et on se quitte bons amis.

À mon tour d'éclater de rire.

— Dix écus ! Tu crois peut-être que je me promène avec ma cassette ? Ce droit de passage, il faudra venir le réclamer à l'Herm. N'oublie pas d'apporter un panier de truffes et une dizaine d'ouailles. Tu seras payé rubis sur l'ongle, c'est juré. Et maintenant, si tu es d'accord, laisse-nous la voie libre.

En proie à la perplexité, il se gratta la barbe.

— Marché honnête, mais gare, Renaudie ! Si tu me trahis, que le diable te crame : il t'en coûtera plus de dix écus.

Il se retourna vers ses hommes, leur fit signe de s'écarter et de mettre l'arme à l'épaule pour nous saluer.

En cours de route, je reçus une rude rebuffade de la dame.

— As-tu perdu la tête ? Dix écus, c'est le prix pour une centaine d'oies et des livres de truffes. Où veux-tu que je trouve cette somme ? C'est toi, peut-être, qui vas me l'avancer ? Tu n'aurais pas dû laisser partir ces gredins. Nous sommes armés. Ils auraient pris la fuite au premier coup d'arquebuse !

— Madame, intervint Séverac, avec tout le respect que je vous dois, cette affaire a été réglée de la façon la plus judicieuse. S'il y avait eu une escarmouche, qui sait ce qui aurait pu nous arriver. Nous aurions tué trois ou quatre de ces bougres, mais ils n'auraient pas hésité à faire parler la poudre. Et alors…

Je rassurai ma maîtresse en lui disant que ce ne serait pas de l'argent mais du plomb qui attendrait Montarel. Elle protesta :

— Mais enfin, Damien, tu as donné ta parole et tu pourrais la trahir ? C'est indigne de toi !

— Donner sa parole à un brigand, madame, sauf votre respect, c'est comme cracher par terre. Ma conscience est en paix.

Nous n'eûmes pas longtemps à attendre la venue de Montarel : une semaine après cet esclandre, il cornait à notre pont, accompagné de son escorte. J'ordonnai au bâtard Guillaume de faire armer une dizaine de domestiques pour le cas où le marché se gâterait, et allai moi-même ouvrir la porte en ordonnant au chef de laisser ses hommes hors nos murs. Je lui lançai d'un ton joyeux :

— Bienvenue à toi, Montarel ! Mais où sont tes ouailles et tes truffes ?

— Tu les trouveras dans une grange, à l'entrée du village. Tu me donnes dix écus et je fous le camp.

— Je ne me promène pas avec dix écus dans ma bourse, grand niais ! Suis-moi. Madame de Calvimont se fera un plaisir de te les remettre. Tu devrais te souvenir qu'on ne conclut pas ce genre de marchés sans boire un coup.

Il marmonna dans sa barbe :

— *Miladiou*, Renaudie, si tu me tends un traquenard tu le regretteras !

— Je t'ai donné ma parole, il me semble !

Nous prîmes le temps de boire du vin et de bavarder. Je ne quittais pas de l'œil mon compère. Il paraissait suspicieux, tournait ses regards de part et d'autre, comme s'il s'attendait à voir des nervis sortir de derrière une tapisserie, l'arme au poing. Ma maîtresse, qui assistait à notre entretien, lui lança d'un ton solennel :

— Monsieur Montarel, mille regrets ! Ce marché n'a pas mon accord. Outre qu'il nous a été imposé sous la menace de vos armes, mon intendant a outrepassé ses fonctions. Sa parole ne vaut rien. Vous nous avez tendu un piège ; nous vous rendons la pareille. Vous allez repartir avec vos ouailles et vos truffes. Nous en sommes pourvus.

Montarel se leva, jeta son verre dans la cheminée et, sortant un pistolet de sa ceinture, hurla :

— *Miladiou !* Vous vous êtes foutus de moi mais je repartirai pas sans mon argent !

— Qui te parle de repartir ? lui dis-je. Les lois de l'hospitalité nous obligent à te garder aussi longtemps qu'il nous plaira.

Sur un signe de ma main, cinq de nos hommes surgirent, mousquet au poing et tentèrent de le désarmer. Il eut le temps de faire feu sur moi, mais la balle me siffla à l'oreille et s'écrasa contre un mur. Il eut le toupet de s'écrier :

— Ce château n'est qu'un repaire de brigands et de parjures !

— Nous pourrions, lui dis-je, faire un massacre de tes gens, mais nous avons horreur de faire couler le sang. Je vais leur faire annoncer qu'ils peuvent s'en retourner avec ton chargement.

J'ajoutai :

— Ôte-moi d'un doute : puisque ta ferme a été détruite, où as-tu trouvé ces ouailles et ces truffes ?
— Au château de Balou, me dit-il d'un ton morne. Je les ai volées la nuit dernière.

Je m'attachai à ce que Montarel fût bien traité, une fois ses hommes repartis avec leur chargement, sans nous causer le moindre tracas. Je l'installai dans une chambre qui servait de débarras, au rez-de-chaussée, en veillant à ce qu'il ne manquât de rien, pas même de tabac pour sa pipe. Quand nous le relâchâmes au bout d'une semaine, je fus stupéfait de l'entendre me dire :
— Renaudie, tu m'as traité comme un prince ! Il ne me manquait qu'une garce pour la nuit, mais je m'en suis passé : le vin remplace l'amour.
En nous quittant, sa besace bien garnie pour la route, il avait de l'émotion dans la voix en me disant :
— Si quelque jour ta route passe par Balou, tu sauras où me trouver. J'y fais construire une nouvelle maison. Tu seras reçu, je le jure, comme le sénéchal de Périgueux.

7

LES MESSIEURS D'AUBUSSON

Nous vivions à l'Herm comme en marge d'un cratère qui bouillonnait intensément mais dont nous ne percevions que fumées et tremblements.

Un matin de janvier, peu après les fêtes, un des chefs de la Ligue, Charles de Lorraine, duc de Mayenne, partit de Périgueux pour mettre le siège devant Montignac occupée par une garnison calviniste aux armes de Navarre. Son artillerie était si puissante qu'en quelques heures elle avait ouvert des brèches par lesquelles ses lansquenets s'engouffrèrent. Défendue par une centaine d'hommes, la garnison baissa les bras. Mayenne n'était pas Monluc : il leur fit grâce.

Je ne puis m'empêcher de penser que, si Geoffroy de Vivans avait été maître de la place, l'issue de ce siège eût été incertaine. Il manquait dans le château un héros charismatique de son acabit.

Mayenne poursuivit sa course. Il bouda la forteresse de Montfort, jugée trop puissante, mais ne fit qu'une bouchée du château de Salignac avant d'aller prendre quelque repos en Agenais.

Mayenne était un des grands personnages du royaume. C'est dire l'honneur qu'il nous fit en passant par chez nous. Il avait pour frères le duc de Guise et le cardinal de Lorraine, tous deux décédés de mort violente. Bien décidé à faire mettre bas les armes à ce blanc-bec de Navarre, il avait pris la tête des ligueurs. Le prince allait relever le défi.

L'armée de la Ligue n'allait pas s'attarder dans notre domaine, mais sa visite nous fut néfaste, le duc, ses catins, ses capitaines et leurs hommes s'étant gobergés gratis deux longues journées et puisé sans scrupule dans nos réserves de vivres et de vin. C'était le moindre mal.

Un matin, je trouvai ma maîtresse dans un état inquiétant, allongée dans son fauteuil, comme foudroyée. Elle froissait d'une main nerveuse une lettre qu'elle venait de recevoir. Elle bredouilla :

— Lis donc, Damien ! Il semble que la fortune s'acharne sur moi et sur ma famille.

Ce billet faisait état du sort réservé à l'un de ses parents, François d'Abzac : il venait d'être décapité à Sarlat, sur la place de la Rigaudie. J'ignorais les motifs de ce supplice ; madame allait m'en informer.

François était son frère cadet. Seigneur de La Serre, domaine proche de Sarlat, il avait installé dans son château une garnison sous couleurs calvinistes et se livrait à des opérations de brigandage dans les environs, jusqu'aux portes de la cité. Capturé au cours d'une opération malheureuse, il avait été livré au bourreau.

Cet incident n'allait rien changer au cours des événements mais madame eut du mal à s'en remettre. Elle ne manifestait pas une affection particulière pour ce trublion, mais cette humiliation la touchait à son point sensible : l'orgueil. Elle s'en ouvrait librement à moi ; je faisais mine de compatir.

J'ignore à quel siècle remontent les relations entre la famille d'Abzac, d'où venait madame, et celle des seigneurs d'Aubusson, en Limousin, mais elles étaient constantes et assidues. Madame Anne entretenait des relations épistolaires avec un membre de cette famille, Foucaud, qu'elle n'avait pas revu depuis des années.

C'est sans plaisir que j'appris la visite de ce personnage qui avait été pour ma maîtresse, me confia-t-elle, un « compagnon de jeux » dans son adolescence, ce qui pouvait laisser supposer une relation sentimentale ou charnelle. J'appris qu'il était veuf depuis peu d'une dame de la seigneurie de Pompadour, en Bas-Limousin, ce qui me mit la puce à l'oreille : la rencontre de ces deux veufs pouvait fort bien déboucher sur un projet d'union et bouleverser le bel équilibre de notre maison.

Messire Foucaud d'Aubusson était un fort honorable parti. Sa famille possédait en Périgord de bons domaines : Beauregard, La Rue, Sigoniac et, en Bas-Limousin, le fief de Castel-Novel, proche de Brive.

Il avait eu huit enfants de la dame de Pompadour, dont cinq encore vivants. S'il lui prenait l'idée de nous les amener, il faudrait s'attendre à une fameuse chienlit. Je redoutais que ces galapiats s'intéressent de trop près à ma protégée, la petite Marguerite, cette *innocentoune*.

Foucaud et sa suite arrivèrent à l'Herm dans la première semaine de mai, peu avant les fenaisons qui s'annonçaient généreuses après les fortes pluies d'avril. Du village me parvenaient les crissements des faux et des faucilles ainsi que le tintement du martelage. Nous fûmes alertés par une avant-garde de deux cavaliers de l'approche du cortège, puis, un moment plus tard, par les cliquètements des sabots et le grondement des véhicules roulant sur le chemin de Rouffignac.

Le convoi comportait trois carrosses repeints à neuf avec les armes de la famille plaquées sur les portières, suivis d'une dizaine de voitures ordinaires, certaines chargées de petits meubles, ce qui laissait augurer un séjour de longue durée.

En moins d'une heure, notre vieille demeure prit l'allure d'un caravansérail. Tandis que madame s'entretenait dans son cabinet avec messire Foucaud, je distribuais à nos visiteurs les chambres prêtes à les recevoir, ce qui suscita des conflits et des criailleries dans la marmaille, les cinq enfants, comme je l'avais craint, étant du voyage.

Le reste de la journée se passa à entreposer le mobilier de la famille, abondant au point qu'on aurait pu croire que cette caravane était partie pour les forêts de Germanie ou les déserts de Mongolie. Je prêtai la main à cette installation bruyante et animée avec la sérénité qui est le fonds de ma nature et la courtoisie qui en est l'ornement.

L'heure du souper venue, prétextant une fatigue bien réelle et redoutant une nouvelle épreuve, j'obtins, non sans peine, de madame la permission de me retirer dans ma cellule. Je laissais à Julia le soin d'assurer le service. Une table particulière avait été réservée aux enfants, mais j'obtins que Marguerite figurât à la table des grandes personnes, à côté de sa mère et de sa grand-mère, depuis peu installée au château, la vieille dame Marguerite de Fages, à demi impotente et presque aveugle. J'appris par Julia que ces brèves agapes n'avaient pas brillé par la conversation.

Le lendemain, discrètement, je m'informai auprès de madame de la durée de ce séjour. Elle haussa les épaules.

— Je l'ignore, Damien. Il aurait été indécent de le demander à *monseigneur* Foucaud ou à la gouvernante des enfants. Il semble qu'ils aient prévu de rester une semaine ou deux, peut-être davantage s'ils se plaisent chez nous, et c'est apparemment le cas.

J'appris que je devrais donner du *monseigneur* à notre hôte, sorte de pachyderme bipède doté de deux cannes et qui, au moindre effort, soufflait comme un bœuf de labour. Son visage épais et gras, doté d'une moustache de chat grisonnante, et son bedon proéminent annonçaient la goutte. J'appris qu'il en souffrait depuis des années, sans se priver pour autant des plaisirs de la table. Duroc, notre mire, allait avoir du travail !

En veine de confidences, madame m'avoua sa déception. Elle ne s'attendait pas à voir surgir sous cette apparence déplaisante un homme qu'elle avait connu courtois et séduisant.

— D'accord avec Duroc, me dit-elle, je vais tenter de lui imposer un régime pour lui faire perdre quelques livres.

— Je crains, madame, que vous ayez du mal à le lui faire adopter. Il ne semble pas disposé à se laisser imposer des privations.

— Voire ! J'ai suffisamment d'autorité pour lui faire entendre raison. Je veux que, pour notre mariage, il ait figure humaine.

Je fis mine d'être surpris.

— Vous avez donc décidé…

— … de l'épouser ? Eh bien, oui. Cela paraît te surprendre, mais c'est, pour ainsi dire, *dans l'ordre des choses.*

Madame, elle-même, n'était pas de ces créatures sur lesquelles les hommes se retournent avec un sifflement d'admiration. Passée la trentaine, elle était aussi maigre que le vieux clopineur était gras, et sa vénusté amorçait son déclin. Si Éros n'allait pas être de la noce, Mercure, dieu des voleurs, y serait présent.

Je fus surpris de constater que le podagre m'avait « à la bonne ». J'avais redouté qu'il me traitât comme un vulgaire valet d'écurie ; il n'en fut rien. S'il n'allait pas jusqu'à me manifester du respect, il me tutoyait et me témoignait une sympathie flatteuse.

Il m'avait confié que le régime que sa future épouse lui imposait était insupportable. Un jour, la mine sombre, il me dit :

— Renaudie, je ne puis supporter de ne pas manger à ma faim. Alors je vais te confier une mission secrète. À la nuit tombée, tu m'apporteras dans ma chambre de quoi me sustenter convenablement, sans oublier le bergerac. Puis-je compter sur toi ?

Il ajouta à voix basse en posant une main sur mon épaule, sans attendre ma réponse :

— Dis-moi, mon ami, cette grande drôlesse qui se nomme Julia accepterait-elle de me tenir compagnie deux ou trois nuits par semaine ? Je n'oublierais pas de la récompenser, cela va de soi.

Je cachai un sourire derrière ma main.

— Mon Dieu, monseigneur, je vais l'informer de votre requête, mais je crains qu'elle ne refuse. Elle est l'épouse d'un de nos palefreniers, individu jaloux et violent, et elle lui est fidèle.

Il fit la grimace et n'insista pas pour que je lui trouve une autre proie. J'étais furieux. « Quel toupet ! me dis-je. Oser me demander de lui servir de rabatteur. » J'avais menti pour l'en dissuader. Julia… Je tenais trop à elle pour la prostituer à ce mastodonte.

J'assumai le service clandestin qu'il me demandait, mais en me contentant de garnir un plateau des restes du souper et d'y joindre une cruche de vin. Je confiai le soin de le lui porter à un de nos domestiques.

J'avais éprouvé des craintes quant à la cohabitation de Marguerite avec la marmaille aubussonnaise ; elles allaient se confirmer. Ma petite chérie me confia que les garçons l'importunaient, tirant sur ses nattes, troussant ses jupes, l'invitant à des jeux pervers. Je lui conseillai de s'en plaindre à sa mère ; elle me répondit qu'elle redoutait sa réaction et m'en confia le soin. Je m'exécutai. Madame répliqua sévèrement :

— Ne te mêle pas à ces querelles ! Ma parole, tu te comportes avec cette enfant comme si elle était ta fille. Il est temps qu'elle apprenne à résister d'elle-même aux garçons. Je vais à ce propos lui faire la leçon.

Trois semaines après l'arrivée de la « tribu », une affaire fit grand bruit dans la maisonnée.

Deux fils de monseigneur Foucaud, des adolescents, avaient emprunté subrepticement des chevaux à Séverac pour une promenade dans la forêt. Au retour, ils montaient le même cheval, le premier s'étant brisé une jambe en tombant dans un ravin, près du hameau de La Borderie. Ils l'avaient achevé en lui brisant le crâne avec une grosse pierre et en le saignant avec leur couteau.

Monseigneur vit rouge. Les deux compères furent consignés une semaine dans leur chambre, sous bonne garde jour et nuit.

Au contraire de son père, François était un personnage séduisant mais de nature violente et perverse. Âgé d'une vingtaine d'années, issu de l'union de son père avec la dame de Pompadour, il revêtait l'apparence d'un parfait gentilhomme : visage de marbre précieux, chevelure abondante nouée sur la nuque, ombre de moustache au-dessus de ses lèvres fruitées, l'allure d'un prince de légende. Son maintien à cheval faisait l'admiration de tous, y compris de Séverac.

Je détestais pourtant ce personnage, qui me le rendait bien. Il me jetait des ordres d'un ton arrogant, comme à un chien, et ne manquait aucune occasion de me gourmander pour des vétilles.

Un soir, insatisfait du service, il s'en prit à moi à l'issue du dîner :

— Renaudie, me dit-il, je tiens à la qualité de ma table. Ma serviette était sale et mon verre portait des traces graisseuses. J'exige que tu veilles désormais à faire cesser de telles négligences !

J'avalai le reproche sans sourciller, d'autant qu'il était justifié, mais le ton me déplut : ce petit monsieur se comportait comme le maître des lieux. En revanche, la moutarde me monta au nez le jour où il me reprocha la longueur et le manque de soin de ma barbe. Je ripostai d'une voix calme :

— Monseigneur, je suis excédé de vos réprimandes injustifiées et de vos harcèlements. Je vais m'en plaindre à monsieur votre père et à madame.

Il s'écria :

— Ton insolence passe les bornes ! Je vais, moi, exiger ton renvoi. Tu peux d'ores et déjà préparer ton bagage !

La nuit venue, alors que je portais moi-même son plateau clandestin à monseigneur Foucaud, je lui fis part de cette algarade. Il rugit :

— De quoi se mêle ce jean-foutre ? Va le quérir sur-le-champ. Tu pourras rester si ça te chante.

J'allais assister avec un plaisir fou à la scène qui suivit. Hors de lui, frappant le parquet de sa canne, Foucaud s'écria :

— Ainsi, maroufle, tu te prends pour le seigneur des lieux ! J'ai bien envie de te renvoyer porter tes culottes à Aubusson, avec mon pied au bas des reins. Tu vas immédiatement présenter tes excuses à *maître* Renaudie et promettre de ne plus le traiter comme un valet d'écurie !

Blême de stupeur, François me tendit une main molle comme une éponge en bredouillant :

— Je vous fais mes excuses, monsieur l'intendant, et promets de vous laisser en paix.

Monseigneur Foucaud battit l'air de sa canne et s'écria joyeusement :

— À la bonne heure ! Vous voilà réconciliés. Et maintenant, mon fils, fous le camp ! Mon poulet va refroidir. Renaudie, ouvre cette bouteille et prends un verre pour toi…

Le lendemain, quand je fis part à madame de cette scène, elle eut une bouffée de colère et bougonna :

— Ce garçon est d'une prétention puante ! Sais-tu qu'il a eu le toupet d'exiger ton renvoi ? Tu imagines ma réponse ! Mais, au fait, pourquoi cette acrimonie envers toi ?

— Il me reproche ma tenue et la mauvaise qualité de la nourriture et du service.

— Quelle impudence ! Voilà trois semaines que François se goberge gratis, se fait servir les meilleurs morceaux, fait changer ses draps chaque jour, harcèle nos servantes, et voilà comment il nous remercie ! Ce morveux se prendrait-il *déjà* pour mon gendre ?

— Pour votre gendre, madame ?

Elle eut du mal à dissimuler son embarras.

— Je ne puis rien te dire encore, Damien, car rien n'est fait, mais tu seras le premier informé, je t'en fais la promesse.

Je sortis bouleversé de cet entretien et incapable de me faire à l'idée que l'on eût pu envisager de donner ma petite Marguerite à ce butor de François.

L'été tirait à sa fin et nous nous préparions aux vendanges qui promettaient d'être généreuses en qualité et en quantité. La date des noces de madame avec monseigneur Foucaud n'étant pas encore fixée, on n'en parlait guère, mais j'étais sans illusion. Les soucis, une fois de plus, retomberaient sur moi, madame ayant l'intention d'inviter la bonne noblesse des environs.

Le jour du mariage fut fixé alors que l'on récoltait les premières grappes : il aurait lieu le premier dimanche d'octobre, ce qui nous laissait du temps pour le préparer. Nous aurions à la cérémonie et à notre table une cinquantaine d'invités de notre côté et au moins autant parmi les gens d'Aubusson.

Je me hasardai à demander à ma maîtresse qui assumerait la dépense des repas et des musiciens.

— Je crains, me dit-elle, d'être seule à devoir l'assumer, mais je vais en débattre avec Foucaud pour parvenir à un partage. Ces gens d'Aubusson sont réputés *rapiats*.

Elle voulait, par cette expression triviale, signifier que s'ils consommaient beaucoup, ils dépensaient peu.

À quelques jours de là, j'appris la nouvelle redoutée : il n'y aurait pas un mariage mais deux : ma petite Marguerite allait épouser ce butor de François.

La foudre serait tombée à mes pieds que je n'en aurais pas été plus bouleversé. Marguerite avait six ans et François plus de vingt. À en croire madame, l'idée venait de Foucaud lui-même, et elle n'avait pu s'y opposer. Elle avait fondu en larmes en m'annonçant cette pénible nouvelle, et avait ajouté en reniflant, comme s'il s'agissait d'une fatalité inéluctable :

— Que veux-tu, Damien, il fallait en venir là. Nos deux familles unies seront plus puissantes que les Biron, les Fénelon et les Castelnaud, ou même comme les plus riches bourgeois de Périgueux et de Bergerac.

J'avais l'impression en l'écoutant d'être transporté dans un mauvais théâtre où se jouait la scène d'un drame sordide. Les mots se refusaient à monter à mes lèvres pour exprimer mon indignation.

— Madame, lui dis-je d'une voix sans timbre, avez-vous prévenu votre fille de cette décision ?

— Eh bien… non… pas encore. La pauvrette est tellement sensible que je remets sans cesse cette épreuve. Je ne sais comment lui exprimer notre choix sans la choquer ou, ce qui serait pire, provoquer son refus. Toi qui la connais mieux que quiconque, veux-tu t'en charger, mon ami ?

— Madame, je ne le puis. C'est à vous de...

— Je t'implore de le faire à ma place. Marguerite te considère comme son père. Tu trouveras mieux que moi les mots qui conviennent.

Je finis par céder.

Dans la nuit qui suivit cet entretien, je tournai et retournai dans ma tête les mots et les tournures de phrases propres à lui faire accepter la chose.

Marguerite comprendrait-elle que toute sa vie allait être bouleversée par cette décision ? François ? Elle le connaissait pour avoir été sa voisine de table ou avoir chevauché à son côté pour de brèves randonnées, au cours desquelles elle avait affiné son assiette. Leurs relations en restaient là ; elle avait des jeux d'enfant et lui d'adulte ; elle s'initiait à l'écriture sous ma conduite et lui s'adonnait à la chasse et aux cartes.

J'appris par un de ses valets que si François quittait souvent l'Herm pour plusieurs jours, ce n'était pas pour se rendre à Aubusson, comme il l'annonçait, mais à Hautefort, seigneurie à la limite du Périgord et du Limousin, ancien domaine du troubadour Bertran de Born, dont j'ai lu quelques *sirventes* dans ma jeunesse. Il y retrouvait sa maîtresse, Marie, une splendide créature à ce qu'on disait.

La décision de le marier à Marguerite ne lui fit ni chaud ni froid. Il l'admettait comme une de ces manœuvres familiales auxquelles on ne peut se soustraire sans provoquer des dissensions, voire des drames. Pour le dire en bref et en termes vulgaires, il s'en foutait comme de ses premières chausses à cul.

Contraint, pour assurer la quantité de vivres nécessaires au repas de noces, de me déplacer, j'allai retenir du poisson à Montignac, de la volaille et des truffes à Sarlat et de la viande à Rouffignac, ce qui me fit remettre mon entretien redouté avec Marguerite. Le jour où je disposai d'un répit, je m'y décidai.

La petite se trouvait au manège, montée sur son poney, Séverac lui donnant ses leçons ordinaires. J'attendis qu'ils en eussent fini pour la prendre par la main et la faire asseoir à mon côté sur des bottes de paille.

— Ma fille, lui dis-je, tu es assez grande pour écouter ce que j'ai d'important à te dire.

— Je t'écoute, parrain.

C'est le terme qu'elle employait, comme si j'avais quelque droit à ce titre, qui convenait à nos rapports. Je lui demandai ce qu'elle pensait de François. Elle arracha un brin de paille et le porta à sa bouche avant de répondre :

— Je le trouve… très beau.

— Mais encore ? Beau… au point qu'il ne te déplairait pas d'être son épouse ?

Elle éclata d'un rire de perle.

— Son épouse… son épouse… Oui, peut-être, je ne sais… Mais lui, est-ce qu'il me voudrait ? Je suis si jeune…

Je soupirai d'aise avec l'impression d'avoir tenté d'enfoncer une porte ouverte.

— Alors, ma chérie, puisque tu y consens, tu seras bientôt l'épouse de messire François d'Aubusson. Je suis heureux que cela ne te déplaise pas.

Elle se rembrunit, disant que ce mariage ne pourrait avoir lieu avant qu'elle soit *grande*. Je la rassurai : cette union ne se ferait que sur le papier ; elle ne partagerait pas le lit de son époux avant des années. D'autre part elle épouserait François le même jour que sa mère s'unirait à monseigneur Foucaud. Elle sursauta :

— Ma mère, épouser cet homme gras et malodorant ? Pourquoi l'a-t-elle choisi ?

— Ma petite, ce sont des affaires de grandes personnes. Dis-toi seulement que tu seras la plus belle et la plus riche *novi* qu'on ait jamais vue en Périgord.

Elle cracha son brin de paille et murmura :

— Tu crois que je pourrai garder mon chat et mes jouets ?

— Sans doute, ma chérie, sans doute. Personne ne pourra s'y opposer. J'y veillerai.

Quand je lui rendis compte de ma mission, madame Anne me sauta au cou, disant que j'avais manqué une carrière de diplomate. Nous allâmes porter la bonne nouvelle à monseigneur Foucaud ; il s'en montra satisfait mais ajouta :

— Mon amie, j'ai quelque remords à me dire que nous allons livrer cette innocente à ce bellâtre sans cervelle qu'est mon fils, et qu'elle va être mêlée aux problèmes de succession que j'appréhende. La pauvrette, je la plains…

Ces scènes de comédie allaient constituer le prélude à une tragédie qui allait bouleverser le petit monde relativement paisible de l'Herm.

8

LE « PARRAIN »

Je frémis encore en songeant à l'incident qui faillit compromettre ce double mariage.

Sur la fin de septembre, un convoi de victuailles destinées aux repas de noces, venant de Sarlat, avait été attaqué par une bande au passage de la Vézère, près de Tursac. Alors que les trois charrettes attendaient le bac, des brigands, au nombre d'une dizaine, avaient dévalé d'un taillis de chênes où ils attendaient leur proie. Au cours du bref engagement qui avait suivi, trois de nos hommes étaient restés sur le carreau et les autres, s'étant jetés à l'eau, étaient parvenus à passer sur l'autre rive et à regagner l'Herm.

Je dus, dans les heures qui suivirent, revenir à Sarlat pour me mettre en quête de volailles et de truffes destinées à remplacer celles qui nous avaient été volées à Tursac. Les pertes en hommes nous affectèrent davantage que celles que nous coûtait ce coup de main.

J'exigeai pour cette nouvelle mission une escorte d'une dizaine d'hommes, et pas des mauviettes.

Les noces allaient se dérouler dans une ambiance fiévreuse.

De nouvelles bandes qui opéraient sous le nom de Tard-Avisés, puis, quelques années plus tard, de Croquants, faisaient peser leur menace sur quelques places fortes, comme si elles espéraient se substituer aux autorités. Ces hordes de paysans, révoltées contre la recrudescence des impôts et l'arrogance des percepteurs, étaient commandées par des capitaines issus de la noblesse la plus honorable, déçus par les calvinistes ou par les dissensions qui agitaient les ligueurs. Ils avaient organisé des assemblées dans la bastide de Monpazier et leurs discours étaient de véritables déclarations de guerre au régime.

Le comportement odieux du sire de Tayac avait mis le feu aux poudres. Cet énergumène, ayant réussi à capturer un pauvre bougre des Tard-Avisés, l'avait torturé et fait traîner son corps par des chevaux à travers le village. Les brigands avaient répliqué en incendiant ses bâtiments agricoles, en détruisant ses vignobles et en coupant ses arbres fruitiers.

Ce n'était qu'un épisode entre autres des méfaits des Tard-Avisés. Avec les Croquants, une guerre ouverte nécessiterait l'envoi dans notre province des troupes royales.

Avant la cérémonie du mariage, la vieille dame Marguerite de Fages nous fit la surprise de rompre avec sa claustration volontaire pour se mêler aux repas, sinon aux conversations. Si elle était à moitié aveugle elle n'était pas sourde. Sans se montrer opposée à ce double mariage, elle redoutait que la petite épousée, qui devait hériter de toutes les possessions de la seigneurie à la mort de sa mère, ne fût l'objet de tractations louches, voire d'une tentative de dépossession au profit des Aubusson. Je partageais cette inquiétude.

La vieille dame n'avait pas perdu la tête. Elle dicta son testament à une ancienne connaissance, le notaire de Rouffignac, et m'en fit part. Elle tenait à être inhumée dans notre chapelle, auprès de son époux, messire Jean, troisième du nom ; elle affirmait sa volonté de faire de Marguerite sa légataire universelle ; en cas de décès sans descendance, les biens de cette dernière devaient revenir à sa belle-fille, la dame Anne d'Abzac, ma maîtresse.

Elle aurait dû signer ce document en lettres de sang.

Madame se trouvait défavorisée. Son père, messire Gabriel d'Abzac, père de six filles, avait doté Anne, pour son mariage avec messire Jean, d'une somme de vingt mille livres. Bagatelle… Ce qui lui restait de droits lors de son deuxième mariage, elle allait le défendre âprement, pour conserver l'Herm et son autorité sur sa fille.

La complexité de ces transactions, cela va sans dire, échappait à Marguerite, toute au plaisir futile, sinon à la joie, d'essayer sa toilette de mariée et de se parer de bijoux, ses nouveaux jouets. Elle m'échappait mais il me plaisait de la voir heureuse lorsqu'elle se promenait dans le parc, sa main dans celle de son beau chevalier.

Je donnerai peu de place dans mon récit au déroulement de ce double mariage : cérémonie, repas plantureux, bals et fêtes diverses auxquelles se mêlèrent les villageois. Madame avait compté sur une centaine d'invités ; il en vint beaucoup moins, les déplacements dans la forêt exposant à de mauvaises surprises. Elle avait espéré le concours d'une cinquantaine de prêtres ; il en vint seulement une trentaine, péniblement requis.

Ma compétence et ma célérité allaient être mises à rude épreuve durant ces journées, d'autant que les domestiques des gens d'Aubusson s'abstinrent de faire du zèle. En revanche, nul n'eut à se plaindre de ma table : j'en reçus des compliments unanimes, sauf de François qui critiqua la qualité de mes vins.

Un incident marqua la journée du lendemain de la cérémonie religieuse.

Monseigneur Foucaud ayant abusé des viandes, de la venaison et du vin, victime d'une faiblesse, roula sous la table. Il fallut quatre hommes pour relever ce Gargantua et le ramener à sa chambre, plus mort que vif. Il en réchappa mais dut rester trois jours alité sur prescription de Duroc, qui figurait parmi nos invités. Il pestait en termes peu convenables contre cette indisposition qui le privait de festoyer et de remplir ses devoirs conjugaux.

Madame constata, après le départ de ses invités, que nombre d'objets de table s'étaient évaporés comme par miracle, de francs larrons ayant côtoyé la bonne société.

Une image émerge de ma mémoire : celle de ma petite Marguerite, ma toute belle, drapée dans une robe de mariée qui lui donnait l'allure d'un ange tombé du ciel. Son âge lui épargna le sacrifice suprême.

Si je me suis attaché à être bref dans l'évocation de cet événement, toute la province en parla, du fait de sa singularité. Je ne m'attarderai pas non plus sur les tractations relevant des problèmes de succession dont la complexité me donne vertige et nausée. Pas la moindre trace de morale, pas une once d'humanité dans cet écheveau. Ces gens donnaient l'impression de se partager une proie.

La vieille dame de Fages me confirma cette opinion, disant qu'à la mort de Marguerite, que, Dieu merci, rien ne laissait craindre, ces loups affamés se jetteraient sur ses biens. Comme elle se montrait surprise de l'intérêt que je portais à cette affaire, et à ma petite Marguerite en particulier, je lui répondis :

— En m'attachant à cette petite, je n'ai fait que compenser le manque d'affection dont elle a souffert de la part de sa mère. Je l'aime et l'ai protégée comme je l'aurais fait, Dieu me pardonne, avec ma propre fille.

— Vous êtes pardonné, Renaudie, d'autant que je partage vos sentiments envers cette pauvre enfant. Je vis à l'écart de ce monde et l'on me croit indifférente, mais je me tiens informée des événements par ma servante. Je suis là et rien ne m'échappe. Les murs ont des oreilles…

Elle me demanda ce que je pensais de François.

— À vrai dire, madame, pas grand bien. Il me méprise, estimant sans doute que j'ai pris trop d'importance dans cette demeure, où vit ma vraie famille. Pour tout dire en un mot, je le déteste.

— Vous n'allez tout de même pas quitter votre service pour lui faire plaisir ? Je le déteste autant que vous, au point de refuser de le recevoir.

Elle ajouta avec un rire crépitant :

— On semble persuadé, dans toute la province, que je ne suis plus de ce monde, et ma belle-fille ne fait rien pour dissiper cette illusion. Il est vrai que ma fin est proche.

— Madame…

— Oui, Renaudie ! Mais rassurez-vous : je ne crains pas la mort. Tant que je vivrai je veillerai à protéger notre petite Marguerite des méfaits des gens d'Aubusson, cette engeance méprisable.

Madame Marguerite de Fages, veuve de Jean de Calvimont, président du parlement de Bordeaux, nous quitta quelques années plus tard, sur la fin de ce siècle maudit. Ses obsèques, qu'elle avait souhaitées discrètes, le furent autant que l'avait été la fin de sa vie. Une ombre succédait à une ombre.

En quelques années, la situation du pays avait évolué dans le bon sens.

Henri de Navarre, après avoir abjuré la religion calviniste pour embrasser celle de la famille royale, allait succéder à ce fantoche, le roi Henri III. Il s'en était pris à la Ligue qui, maîtresse de Paris, se livrait à tous les excès, organisant des processions carnavalesques où figuraient des moines armés d'arquebuses. À Ivry, à Arques, il avait vaincu le duc de Mayenne et n'attendait que le moment favorable pour se présenter aux portes de Paris, cette ville, qui, disait-on en évoquant sa conversion éventuelle, « valait bien une messe ». La famine y régnait et les bandouliers du roi d'Espagne se comportaient en pillards.

J'ai conservé dans mes papiers une gravure représentant l'entrée délirante de Navarre dans la capitale et le départ penaud des Espagnols.

Le nouveau souverain avait fait trop de chemin à travers le royaume et livré trop de batailles pour ne pas aspirer à la paix. Il se mit en devoir de réconcilier des adversaires qui semblaient ne jamais pouvoir se tendre la main : autant demander à Calvin et au pape de se donner l'accolade. Ceux qui doutaient de sa réussite avaient tort. L'édit de Nantes allait proclamer la coexistence paisible des deux cultes.

Je n'en avais pas fini avec François d'Aubusson. Nature irascible et querelleuse, il me tenait rigueur de l'attachement que je manifestais toujours à Marguerite et se plaignait de l'affection qu'elle témoignait à son *parrain*. Un matin, alors que j'assistais à un exercice équestre de sa jeune épouse, il me dit en tirant sur sa pipe, d'un ton aussi naturel que s'il me parlait du beau temps, que mes jours au château étaient comptés et que je devrais porter ailleurs mes « talents de séducteur ». Je ripostai sans me démonter :

— J'ignore à quoi rime cette allusion et je la méprise. Quant à me donner congé, je suis au service de madame et elle seule a ce pouvoir. L'avez-vous informée de votre décision ?

— Non, mais cela ne saurait tarder.

Je lui pris le bras pour faire quelques pas hors du manège. Mon geste parut le choquer ; il sursauta mais me suivit, la pipe au bec.

— Monsieur, lui dis-je, il est temps de vider notre querelle. Elle dure depuis trop longtemps sans que j'en comprenne les vraies raisons. Qu'ai-je bien pu faire qui justifie vos humeurs contre moi ? Me jugez-vous incompétent ? Trouvez-vous que je manque trop souvent la messe ? Je puis me justifier de ces griefs, mais faites-moi la grâce de me répondre.

Il lâcha une bouffée de fumée, flagella sa botte d'un coup de cravache et, ôtant sa pipe de sa bouche, lissa ses moustaches d'un coup de pouce.

— Le manant que tu es, Renaudie, pose trop de questions. Je n'en suis pas embarrassé, mais je te ferai une seule réponse : tes assiduités auprès de mon épouse m'insupportent. Tu vas donc aller traîner tes grègues ailleurs, vieux *clopineur* !

Piqué au vif qu'il eût osé faire allusion à ma boiterie, je lui lançai :

— J'ai reçu cette blessure en me battant pour mes maîtres. Malgré mon âge et mon infirmité, je pourrais botter les fesses d'un blanc-bec de ton espèce.

Il arrêta sa marche et me fouetta le visage d'un coup de cravache. Ivre de colère, je la lui arrachai et la jetai sur un tas de crottin. Marguerite, qui avait observé la scène, courut vers nous en criant :

— Cessez de vous quereller ! Monsieur mon mari, vous êtes un mauvais homme. Vous n'avez pas le droit de vous en prendre à mon parrain.

François fit deux pas en arrière et, avant de tourner les talons, me jeta :

— Un jour ou l'autre, manant, je te corrigerai !

Quand je fis part de cette scène à madame Anne, elle haussa les épaules.

— François est persuadé que Marguerite est ta fille. Je ne sais qui lui a parlé de notre aventure, mais rien ne semble pouvoir l'en dissuader. Je puis t'assurer que c'est une naissance *légitime*. En douterais-tu toi-même ?

Je répondis par un mensonge :

— Madame, cette pensée ne m'a jamais effleuré.

Elle me parla des relations de son gendre avec la demoiselle d'Hautefort, que son mariage n'avait pas interrompues. En un mois il avait fait trois voyages pour la retrouver. Je lui reprochai de n'être pas intervenue pour qu'il renonçât à ce manège.

— Je l'ai fait, Damien ! Il m'a répondu que, sa jeune épouse étant impubère, il s'attribuait le droit d'avoir des *compensations extérieures*. Ce sont ses propres mots. Pouvais-je lui conseiller de vivre comme un ermite ? Un homme de son âge, riche et séduisant…

Monseigneur Foucaud, s'il se plaignait de sa goutte et de ses maux d'estomac, ne souffrait d'aucune maladie qui pût faire craindre pour sa vie, malgré une obésité devenue monstrueuse, ce dont madame, persuadée qu'il observait rigoureusement son régime, se montrait surprise. Quand je demandai à Duroc son avis sur la possible longévité de son malade, il me répondit qu'il avait affaire à un prodige de vitalité. D'autres, dans son état, seraient morts depuis longtemps.

— À quoi bon tenter de soigner un malade qui refuse les remèdes qu'on lui prescrit ? Alors, laissons faire les choses. S'il vit encore à la fin du siècle, ce sera un miracle.

Pour le réveillon de Noël de l'année 1599, monseigneur Foucaud décida d'être des nôtres, alors qu'il ne quittait son lit que pour satisfaire ses besoins naturels dans sa garde-robe. Je dus prendre en main la fabrication d'une sorte de palanquin destiné à le faire transporter par quatre hommes robustes de sa chambre, située à l'étage, jusqu'à la grande salle. Ce ne fut pas une petite affaire ; en cas de chute dans l'escalier, encore qu'il soit large, monseigneur n'aurait pas survécu. Et ce fut pire au retour, quand il fallut remonter l'escalier : monseigneur glapissait et distribuait des coups de canne à ses porteurs.

Monseigneur Foucaud d'Aubusson rendit son âme à Dieu dans les premiers jours de l'année 1600, après une agonie interminable et douloureuse. Nous fîmes confectionner un cercueil à ses dimensions et quatre hommes furent nécessaires pour l'y insérer. Il neigeait lorsque, après des obsèques sans faste du fait du mauvais temps, il fut inhumé dans la chapelle.

J'aurais été fort surpris de voir une larme sur le visage de la veuve et une trace d'émotion sur celui de François. Quant à moi je ne débordais pas de chagrin mais allais regretter ce grand seigneur qui, d'emblée, m'avait témoigné confiance et sympathie, d'autant qu'il me léguait un pécule de mille livres qui allait me permettre d'aider ma famille, Léonard ayant perdu une forte somme dans une partie de cartes à Saint-Gérac.

Le sort de madame Anne n'avait guère de quoi me causer du souci. Veuve pour la deuxième fois, l'âge lui interdisait de récidiver pour ne pas sombrer dans le ridicule. Elle se rapprocha de moi par besoin d'être protégée contre les exigences de son gendre, toujours à court d'argent. Sa situation financière lui assurant une fin de vie confortable, elle aurait pu acquérir l'hôtel particulier de Périgueux, au bord de l'Isle, qu'un marchand de vin lui avait proposé, et se mêler ainsi à la bonne société périgourdine.

Elle me confia un jour qu'elle avait été à plusieurs reprises sur le point de céder à l'appel de la grande cité, en me laissant le soin de continuer à administrer le château et le domaine.

— J'ai l'impression, me dit-elle, d'être à l'Herm comme en terre d'exil, que ma véritable vie est à Périgueux et qu'on m'y attend. J'y ai vécu quelques années de ma jeunesse et j'en garde un souvenir ineffaçable. Pardonne-moi, Damien, mais j'en viens à souhaiter qu'un tremblement de terre fasse une ruine de ce château, au point de le rendre inhabitable. Cet événement me rendrait ma liberté. Je ne te cache pas que je saurais en profiter ! En ta compagnie, cela va de soi, mon ami.

Je ne lui cachai pas ma surprise : qui l'empêchait d'obéir à son caprice, sans qu'il fût besoin d'un séisme ?

— Tu le sais aussi bien que moi. Je ne puis laisser mon gendre disposer de ma fille comme il l'entend. Et puis, à bien réfléchir, comment, à mon âge, me faire de nouvelles relations, alors qu'ici j'ai encore quelques bons amis ? Il n'empêche : certains jours j'ai l'impression que l'ennui me ronge.

Je n'osai rétorquer que, si elle daignait s'intéresser davantage à la marche de ses domaines, elle ne serait pas sujette à ce trouble. Si elle avait accepté de me suivre dans mes visites aux métayers, elle en aurait tiré bien des satisfactions, mais elle ne les rencontrait que lors des fêtes villageoises, des messes et pour la présentation des vœux que j'organisais à son intention : ils lui apportaient des produits de leur ferme, parfois quelques œufs ou une botte de racines ; nous leur faisions servir un repas copieux et bien arrosé, et ils repartaient contents de leur bonne châtelaine.

Lorsque je faisais de discrètes allusions à cette négligence, elle haussait les épaules, disant que ces visites lui répugnaient. Elle me faisait confiance et n'avait pas lieu de s'en plaindre.

Ses rapports avec son gendre ne laissaient pas de m'intriguer.

Elle semblait, en dépit des reproches dont elle l'accablait, éprouver pour lui une étrange fascination. Elle n'hésitait pas à le rabrouer pour ses exigences envers nos domestiques, son manque d'affection pour Marguerite et ses demandes de fonds quand il perdait quelques écus dans les tripots de Rouffignac ou de Sarlat. Ils avaient de fréquents entretiens dans le cabinet de madame attenant à la grande salle, ou dans sa chambre quand elle était souffrante et que « l'ennui la rongeait ». De quoi pouvaient-ils bien parler ? Je l'ignore, et j'aurais payé cher pour être présent.

À l'évidence il existait entre eux une sorte de connivence (ou de complicité ?) qui m'intriguait. Julia m'avait confié qu'elle percevait souvent des éclats de voix qui paraissaient témoigner d'un désaccord. À quel sujet ? Elle n'aurait su me le dire. Un jour où elle avait eu la curiosité de coller son oreille à la porte, elle avait compris qu'il s'agissait de problèmes d'argent, ce qui n'avait pas de quoi me surprendre, mais aussi d'héritage.

— Il a aussi été question de toi. J'ai cru comprendre que messire François insistait pour que madame te donne congé, mais qu'elle s'y refusait. Je crains qu'elle ne change d'avis.

Notre province avait rejeté le siècle maudit que nous venions de vivre comme on se débarrasse d'une guenille vermineuse, puante et maculée de sang. Celui qui lui succédait s'annonçait sous des augures moins tragiques.

Divorcé de l'infâme Margot, le roi Henri partageait une ardente passion avec Gabrielle d'Estrées, sa belle mais sotte favorite. L'épouser risquant de susciter un scandale, son choix s'était porté sur une Médicis, Marie, nièce du duc de Toscane. Il avait ramené la paix civile et religieuse dans son royaume, contraint les bandouliers espagnols à repartir pour leurs déserts et maté la rébellion des grands féodaux. Il régnait.

Malgré cela, il persistait dans son royaume un reliquat de mécontents, auteurs de deux attentats contre Sa Majesté. L'un d'eux, un châtelain du Périgord, Charles de Gontaut, premier duc de Biron, n'était pas des moindres, alors qu'il avait été des premiers, après l'avoir assisté dans ses guerres, à reconnaître la légitimité du nouveau souverain.

Pour lui témoigner sa gratitude, le roi l'avait nommé amiral de France et de Bretagne, puis maréchal et enfin duc et pair. Biron n'aurait pu souhaiter mieux s'il n'eût été dévoré d'ambition. Il s'était compromis avec la Savoie et l'Espagne pour comploter contre son bienfaiteur. Arrêté à la suite d'un décret du Parlement, conduit à la Bastille, cette tête folle était tombée sous la hache du bourreau.

Ce drame avait causé, dans notre province notamment, une vive émotion, la bravoure de Biron dissimulant son ingratitude. On en fit une complainte que l'on chante encore dans les rues de Périgueux et de Sarlat.

Le pays oublia vite cette affaire criminelle. Depuis quelques années, une paix royale s'accompagnait d'une prospérité inhabituelle. Nos paysans mangeaient à leur faim, on pouvait sans trop de risques voyager à travers la forêt Barade et autres contrées dangereuses. Plus de bandes, plus de trublions papistes et parpaillots, plus de gabelous teigneux chargés du prélèvement des douanes. La peste noire nous épargnait sa visite. Nous respirions les effluves d'un nouveau printemps.

Je n'eus que de rares occasions de traîner mes grègues jusqu'à la puissante forteresse de Biron, repaire des premiers barons du Périgord. J'en avais retiré une impression étrange : celle d'une puissance alliée aux pires turpitudes. Je crois aux pierres qui parlent ; celles de Biron n'auraient rien eu d'agréable à raconter.

En quelques années, ma petite chérie s'était épanouie. Elle était devenue une petite femme tout en gardant l'éclat lumineux de son enfance, sa naïveté congénitale qui aurait pu passer pour de la sottise, et, je dois le dire, son caractère instable. L'ambiance de l'Herm, dont je m'efforçais de pallier la morosité, avait donné du sérieux à son comportement.

C'est moi que madame sa mère avait choisi pour elle comme précepteur. Deux heures chaque jour, excepté le dimanche, je m'attachais à son éducation et à son instruction, non sans mal car elle se montrait rebelle à l'arithmétique et imperméable aux lettres. Lorsqu'il lui arrivait, lasse d'une leçon, de jeter sa plume sur la feuille et de décamper, je me fâchais ; elle s'en moquait.

Elle avait paru s'intéresser à quelques fragments des *Bucoliques* de Virgile, traduits à son intention, mais s'en était vite lassée. En revanche elle prit quelque intérêt à l'un de mes poèmes sur la forêt Barade évoquant des lieux qui lui étaient familiers. Je lui fis lire un poème de François Malherbe : *Consolation à M. du Périer.* Elle avait de l'émotion dans la voix quand elle murmurait comme une litanie ces vers célèbres : *Et rose elle a vécu ce que vivent les roses/L'espace d'un matin...* Elle me fit un jour cette confession prémonitoire :

— Mourir si jeune, ce n'est pas juste, parrain. Pourquoi Dieu l'a-t-il permis ?

— Le curé de Rouffignac, lui répondis-je, pourrait te donner la réponse. Il te dirait sûrement que les décrets de Dieu sont impénétrables. S'il a rappelé à lui la petite Rose, c'était peut-être pour lui éviter les misères de ce monde.

Je rendais de fréquentes visites à ma famille, d'autant que je n'avais que quelques pas à faire.

Depuis la mort de mon père, le chef de famille était Léonard, le mari de ma sœur Albine, mes autres frères ayant émigré à Sarlat et à Rouffignac. L'un d'eux tenait une auberge louche mais prospère, l'autre trafiquait bétail et chevaux sur les foires légales et celles, clandestines, de la forêt. Tous deux semblaient fort à l'aise. Un autre de mes frères, Gratien, versé dans la magistrature, grâce à l'un de nos oncles, menait à Paris une existence de nabab et semblait avoir oublié sa famille de manants.

À chacune de mes visites, j'embrassais ma mère, une vieillarde de quatre-vingts ans passés, sur laquelle Albine veillait comme sur la lampe du saint sacrement. Déjà plus de ce monde, presque aveugle et quasi muette, elle se laissait nourrir comme un enfançon. Été comme hiver elle se tenait au coin de l'âtre, une épaisse couverture de laine brute sur les genoux et les pieds sur les braises d'une chaufferette.

Je venais rarement sans apporter quelque douceur aux enfants. Ils se jetaient dessus comme des chiens affamés, alors que leur bonne mine faisait plaisir à voir. En certaines circonstances je puisais dans ma bourse pour leur venir en aide.

L'intimité que nos leçons m'imposaient de partager avec Marguerite, dans ma cellule, en haut de la tour de l'Escalier, irritait François.

— De quoi te mêles-tu, Renaudie ? me dit-il. Tu te prends pour un précepteur ? Auras-tu décidé de faire de mon épouse une créature savante ?

— Adressez-vous à madame, messire. C'est elle qui m'a confié cette fonction.

Il s'esclaffa :

— Ma mère sait à peine lire et écrire et s'en passe fort bien. Ni mon père ni moi n'avons jamais ouvert un livre, ce qui ne nous gêne en aucune façon. Ma femme nous a récité un de tes poèmes sur la forêt Barade. C'est la pire des choses que j'ai entendues! Ri-di-cule! Tu fais un bien mauvais précepteur.

— Je fais de mon mieux, monseigneur. Il se trouve que Marguerite apprécie la poésie. Je ne vais pas l'en priver.

— J'en doute! À dater de ce jour, je t'interdis ces *fantaisies* qui lui troublent l'esprit.

Quand j'annonçai ce décret à Marguerite, elle laissa éclater sa colère.

— Aurais-je épousé un tyran? Écris-moi ou procure moi d'autres poèmes, parrain: je les lirai dans ma chambre, à la chandelle. Je me moque de ce que pense mon époux. S'il veut interrompre mes leçons, c'est à moi et à ma mère qu'il aura affaire!

Mes fonctions de précepteur et les séances de poésie se poursuivirent sans que nous eûmes à essuyer de nouveaux sarcasmes et interdits de ce trublion de François. Madame était même ravie de constater que sa fille fût sensible à mes vers qu'elle-même trouvait fort «convenables».

Je n'eus pas l'inconvenance de demander à madame si l'union charnelle de sa fille et de son gendre avait été consommée, et n'attendais pas de Marguerite qu'elle m'en parlât. J'en doutais d'ailleurs, certain que j'en aurais perçu quelque apparence.

Un soir où François s'en était pris à Julia, disant que son omelette aux cèpes était froide, Marguerite se dressa et, à voix haute, accusa son mari d'avoir suscité une injuste querelle.

— Monsieur mon époux, lui dit-elle, si le service de *ma* maison ne vous convient pas, allez donc prendre vos repas ailleurs ! À Saint-Gérac, par exemple...

Je crus que le plafond allait nous tomber sur la tête, lorsque j'entendis madame s'écrier :

— Ma fille, ton insolence dépasse les bornes ! Tu vas devoir me rendre compte de cette allusion perverse.

— Quand il vous plaira, mère, répliqua la petite.

J'appris qu'elle évoquait les relations de son mari avec une patronne d'auberge de ce village ; il se montrait généreux avec elle aux dépens de sa belle-famille.

François resta quelques instants blême mais impavide, faisant tourner son couteau en tous sens. Je l'entendis maugréer :

— Madame, je ne puis laisser de tels propos dans la bouche de mon épouse sans y répondre. Donnez-moi, je vous prie, l'autorisation de la punir sur-le-champ. Rassurez-vous : je ne vais pas la martyriser.

— J'y veillerai, mon gendre ! Si vous faites quelque mal à cette innocente, vous aurez à en répondre devant moi.

Les mains plaquées sur son visage, Marguerite s'écria :

— Mère, ne m'abandonnez pas, je vous en conjure !

— Ma petite, tu dois le respect à ton mari. Il ne va pas te tuer. Suis-le !

Les jambes molles, je m'attendais à ce que Marguerite sollicitât mon secours, ce qui m'aurait mis dans un terrible embarras. Elle n'en fit rien. Je poussai un soupir d'aise auquel succéda une inquiétude oppressante lorsque je vis François la prendre par la main et l'entraîner dans sa chambre du premier étage.

J'avais quelque raison de me méfier : je l'avais surprise à glisser un couteau de table dans sa ceinture.

N'ayant pas revu Marguerite depuis trois jours, je m'en inquiétai auprès de la servante chargée de lui porter ses repas. Elle m'apprit qu'elle n'était ni malade ni blessée ni prisonnière ; elle cuvait son humiliation, comme je l'appris par la suite.

Un matin, j'eus la surprise de la voir pousser la porte de ma cellule avec entre les mains le portefeuille où elle rangeait ses devoirs. Comme si de rien n'était, elle m'embrassa, s'assit à sa place habituelle et, après un silence, le visage crispé, elle me dit :

— Parrain, tu es le seul avec ma mère à qui je puisse raconter ce qui m'est arrivé l'autre soir, après l'algarade avec François. Je n'en ai parlé qu'à ma mère, brièvement, car je redoutais sa colère. À toi je puis tout dire.

La voix brisée, au bord des larmes, elle me raconta que François, ivre de rage, lui avait arraché ses vêtements et, une fois nue, l'avait fait allonger à plat ventre sur le lit et lui avait flagellé les fesses avec le plat du sabre dont il ne se séparait jamais. Elle avait subi cette épreuve les dents serrées, sans une plainte mais, lorsque François, après lui avoir ravi sa virginité, lui avait permis de se relever, elle avait saisi le couteau, s'était jetée sur lui et lui avait entaillé la gorge.

Furieux, il s'était écrié :

— Sale petit démon, tu as voulu me tuer, mais c'est moi qui te tuerai, j'en fais le serment !

Elle ajouta, les mains crispées sur son portefeuille :

— J'ai conscience d'être allée trop loin. Il est vrai que j'aurais pu le tuer, mais sa blessure, Dieu merci, est légère. J'ai pris la décision de ne plus adresser la parole à cet homme qui m'a humiliée.

Je renonçai à tenter de lui faire admettre qu'elle avait poussé trop loin dans sa réaction au cours du repas et, d'autre part, que si la punition avait été sévère, François n'avait fait, en lui ôtant sa virginité, que remplir son devoir, l'âge de Marguerite l'y autorisant.

Elle me surprit en souhaitant que François quittât l'Herm pour se retirer à Aubusson ou même, s'il lui plaisait… à Hautefort. Je sursautai.

— Tu es donc au courant de ses relations avec la châtelaine Marie ?

— Me crois-tu donc naïve au point de l'ignorer alors que tous en parlent ? J'ai bavardé avec l'un des écuyers d'Aubusson, qui me contait fleurette avant mon mariage. Il n'a pas fait mystère de cette liaison, d'autant qu'il accompagnait son maître à ces rendez-vous. Ce que j'ai du mal à comprendre, c'est pourquoi il a choisi de m'épouser, moi qu'il n'aime pas, plutôt que cette créature qu'il adore. Il y a là un mystère.

De mystère, il n'y avait pas. La réalité est que François avait épousé en Marguerite une riche héritière et que pour lui l'intérêt passait avant le sentiment. Une idée atroce me vint à l'esprit : un divorce aurait privé François de l'héritage de Marguerite, alors que sa mort prématurée en aurait fait le propriétaire de ses biens, avec ce corollaire : un remariage avec sa maîtresse d'Hautefort.

Avec l'accord de Marguerite, j'informai madame des détails de la terrible soirée. Elle ne parut pas s'en émouvoir.

— Mon gendre l'a corrigée ? Et alors ? Elle le méritait, il me semble ! Il est vrai qu'il aurait dû se montrer moins brutal. Quant à ce qui a suivi, c'est dans l'ordre des choses. J'en ai parlé à cette péronnelle. Elle aurait dû s'y attendre.

Soudain, madame s'en prit à moi, me reprochant de prendre trop à cœur une affaire qui ne me concernait pas. J'avais tendance, me répéta-t-elle, à considérer cette mijaurée comme ma fille.

— Tu la cajoles, tu lui fais lire tes poèmes et des ouvrages qui lui donnent une fausse idée des réalités de la vie. De grâce, laisse-la voler de ses propres ailes !

« Autant, me dis-je, lâcher une colombe dans une cage de rapaces ! »

— Damien, ajouta-t-elle, ton rôle de précepteur est terminé puisque ma fille a appris, grâce à toi, à lire et à écrire. Il n'est pas nécessaire d'en demander plus. Dorénavant, tu t'en tiendras à tes fonctions d'intendant. À dater de ce jour, c'est à moi qu'il appartiendra de veiller sur ma fille. Je vais lui faire comprendre que son devoir est de partager le lit de son époux, quels que soient ses sentiments envers lui.

Elle ajouta d'un ton plus serein :

— Damien, je te considère comme un ami plus que comme un domestique, tu le sais. Si je me suis montrée sévère avec toi, il faut me pardonner. Si tu savais...

— Quoi donc, madame ?

— Je ne puis te mettre dans la confidence. Sache seulement que je vis un enfer quotidien, de jour et de nuit, partagée entre scrupules et contrition. Tu apprendras peut-être un jour prochain que je suis plus à plaindre qu'à blâmer.

Je la quittai sur cette confession embrouillée, incapable d'imaginer quels événements à venir pourraient la troubler à ce point et en quoi ma petite chérie pouvait y être mêlée.

Quelques jours après cet entretien empreint de mystère, madame prit une décision qui me laissa pantois : elle allait quitter l'Herm pour un temps indéterminé et se retirer au château de Ladouze, propriété de la famille d'Abzac.

J'aidai à charger charrettes et carrioles de son mobilier personnel et de sa garde-robe, ce qui laissait supposer un séjour à long terme. Il me fut pénible de voir ma chère Julia contrainte de suivre le train, mais je me consolais en me disant que je pourrais la rejoindre de temps à autre, Ladouze n'étant qu'à environ deux heures de cheval.

Les adieux furent d'une extrême sécheresse. Madame se contenta de me rappeler ses consignes concernant l'administration de ses métairies et du château. Elle m'ordonna de lui rendre visite une fois par semaine pour lui présenter mes rapports sur la situation de la maisonnée et les comptes.

Elle m'embrassa avant de monter dans son vieux carrosse, serra Marguerite contre sa poitrine en lui parlant à l'oreille, mais se contenta d'un geste de la main à l'adresse de François.

9

« ET ROSE ELLE A VÉCU... »

J'avais tout à redouter du départ de madame. Sans elle, j'allais devoir me plier aux ordres de François, ce qui laissait quelques craintes, notamment celle de mon renvoi pur et simple.

Je ne fus pas surpris que, quelques jours plus tard, il me convoquât afin de faire le point sur nos rapports. Assis dans le fauteuil de son cabinet, moi debout, il prit le temps de bourrer et d'allumer sa pipe avant de me dire d'un ton faussement solennel :

— Renaudie, je ne t'apprendrai rien en te disant que, désormais, je suis le maître de ce château et de ces domaines et que j'exige d'être obéi à la lettre par tous, à commencer par toi. Tu devras renoncer à quelques privilèges, comme de partager ma table, et tu devras me rendre compte, chaque jour, de tes fonctions. Me suis-je bien exprimé ?

— Parfaitement, messire. Vous pouvez compter sur mon dévouement à cette maison...

— … que tu as tendance à considérer comme tienne ! À la moindre rébellion contre mes volontés, je serai contraint de renoncer à tes services.

— Cela va de soi, monseigneur.

— Fort bien. Dès demain, tu devras effectuer une inspection de nos métairies. Nos paysans en prennent trop à leur aise et nous grugent. Il faut que cela cesse. J'ai des besoins d'argent pour des dettes qui ne souffrent pas de retard.

Je faillis objecter qu'il s'attribuait une autorité qui aurait dû revenir à son épouse, mais il aurait pris cette remarque pour une provocation. Si je m'en abstins, c'était pour ne pas envenimer cet entretien, mais je me promis de lui en faire la remarque en d'autres circonstances.

Depuis la mort de monseigneur Foucaud, le propriétaire d'un domaine important situé à Fleurac, près de Rouffignac, Antoine de Lagorce, me harcelait pour me proposer un poste d'intendant et des émoluments supérieurs à ceux que je recevais de madame Anne. Je le rencontrais parfois aux foires de Rouffignac et, chaque fois, autour d'une cruche de vin, il me faisait miroiter ses conditions.

Ce qui m'a retenu d'accepter cette proposition alléchante, c'est d'une part mon âge, trop avancé pour aborder une nouvelle existence, et d'autre part le regret d'avoir à me séparer de Marguerite, de sa mère et de ma famille. J'ai temporisé avec une crainte : voir cette perspective inespérée m'échapper à jamais.

Donner des ordres à la domesticité relevait de mes compétences ; en recevoir – et avec quelle arrogance ! – m'humiliait. Je courbais l'échine, rongeais mon frein et recevais plus de griefs que de compliments.

Je faillis regimber lorsque François, sans m'en prévenir et en mon absence, opéra de lui-même une perquisition dans la ferme des miens. Persuadé que je leur réservais un traitement de faveur (ce en quoi, j'en conviens, il n'avait pas tort), il voulait en avoir le cœur net. Il passa plus d'une heure, armé de sa cravache, à jouer les gabelous, inspectant coffres, cellier, charnier, étable, porcherie et menaçant de sa cravache les enfants qui suivaient son manège avec curiosité.

Au retour, il me dit d'une voix narquoise :

— Ta famille est à l'aise, à ce qu'il semble. Mazette ! Trois gorets bien gras, deux vaches, une pleine volière d'oies et de poules, un bûcher jusqu'au toit... Je vais faire opérer un contrôle sévère des revenus de ta famille et au besoin des réquisitions.

— Tout est en règle, monsieur, protestai-je, et tout contrôle serait inutile. Quant aux réquisitions, cela relèverait du larcin.

— Du larcin, dis-tu ? Comment expliquer ce train de vie supérieur à celui de nos autres paysans ?

— Par les conseils que je leur prodigue, monsieur, et par le sérieux de leur travail. Il m'arrive même de puiser dans mes économies pour leur venir en aide dans les périodes difficiles. Est-ce répréhensible ?

— Assurément ! Ces économies, c'est aux cadeaux de tes maîtres que tu les dois.

— Ne serais-je pas libre d'en disposer à ma guise? Devrais-je vous les restituer? Eh bien, je m'y refuse! Ces économies m'aideront pour le jour où je devrai cesser mes fonctions, et cela quand bon me semblera. Je suis âgé, dois-je vous le rappeler? Âgé et fatigué.

Il parut ébranlé, persuadé sans doute que, si je renonçais à mes fonctions, il serait dans l'obligation de gérer lui-même ses domaines, ce dont il était incapable, ou de trouver, pour me remplacer, un autre *esclave*.

Persuadée que j'avais oublié la consigne, madame m'attendait avec impatience. Elle m'avoua qu'elle s'ennuyait dans sa nouvelle résidence et que je lui manquais. L'ambiance y était tendue; elle s'entendait comme chien et chat avec sa parentèle, au point qu'elle avait été maintes fois sur le point de revenir *chez elle*.

— Eh bien, madame, qui vous en empêche?

Elle se détourna comme si je venais de provoquer en elle une crise de conscience, et bredouilla:

— Je… je ne peux pas, Damien… pas encore. Tu comprendras plus tard mes raisons.

Madame venait d'entrouvrir la porte d'un mystère qui allait s'épaissir dans les mois à venir. Je n'insistai pas pour en savoir davantage. Elle me demanda des nouvelles de sa fille.

— Je me contente de la voir de temps à autre, lui dis-je, mais nous avons l'ordre de ne pas converser. Si nous manquions à la consigne, les domestiques de messire François se feraient un plaisir de nous dénoncer. Je puis vous assurer qu'elle n'a jamais été aussi belle. Chaque fois qu'elle paraît c'est un rayon de soleil qui m'inonde, et...

— Pour parler bref, crois-tu qu'elle fasse bon ménage avec son époux ?

— Eh ! madame, comment le saurais-je ? Elle et moi sommes privés de confidences.

J'allais, durant des jours, m'interroger sur les raisons qui interdisaient à madame son retour parmi nous. Les airs de gêne et de mystère qu'elle avait adoptés m'obsédaient. Il me paraissait évident que des événements que je n'avais pas à connaître se préparaient.

Parfois, lorsque mes visites à Ladouze, en se prolongeant d'une journée, m'obligeaient à coucher au château, je retrouvais avec Julia la saveur des plaisirs oubliés.

L'année 1605, que j'aimerais éradiquer de ma mémoire, on chantait encore dans les veillées paysannes la *Complainte de Biron*.

Un jour d'hiver, alors que je buvais un vin chaud dans un cabaret proche de Sireuil, un lieu où les gens vivent dans des cavernes comme les anciens hommes, j'entendis un groupe de maçons entonner cette chanson en langue du pays.

C'était peu de temps avant que le *bon roi Henri* eût décidé de se rendre à Limoges pour y installer une cour dite des Grands-Jours, composée de membres du parlement de Bordeaux.

Ce ban de justice avait pour mission de juger les membres d'un complot fomenté contre le roi avec le soutien du roi d'Espagne et avec comme complices quelques gentilshommes de notre province : Chassaing, Fondonnière, Sudrie et d'autres, anciens compagnons du maréchal duc de Biron. Je n'aurais pas donné cher de leur tête.

À l'Herm, l'ambiance était devenue pour moi insoutenable.

J'ai employé dans ce récit le mot « esclave » pour parler de ma condition et de celle des autres domestiques. Messire François avait interdit l'usage de notre langue traditionnelle, mais, comme certains ne parlaient pas le français, cette mesure causait parfois des quiproquos plaisants.

Je me pliais comme tous à la volonté de ce tyran, accomplissais avec ma rigueur coutumière mes missions, non par esprit de soumission et moins encore par flagornerie. Je redoutais cette épée de Damoclès : mon renvoi, Antoine de Lagorce ne donnant plus signe de vie.

Je tenais à rester au château pour veiller à ce que les traitements injustes que mon maître réservait à son épouse ne dépassent pas les limites raisonnables. Il lui avait interdit les promenades en forêt, la faisait suivre lorsqu'elle se rendait au village et surveiller quand elle se promenait dans le parc. Il tolérait ses jeux de boules, de quilles ou de balles, mais passait ses partenaires au crible.

Nos relations s'envenimèrent le jour où, sans le consulter, je fis abattre dans le parc un arbre mort qui constituait un danger. Il y trouva un prétexte pour s'en prendre violemment à moi. Je le laissai m'insulter et lui répondis sans me démonter, l'air narquois :

— Monsieur, si j'ai commis une faute, je suis prêt à la réparer par une retenue sur mes gages, après estimation par un juge.

Il s'exclama en frappant ses bottes avec sa cravache :

— J'y compte bien, maraud ! Cet arbre était centenaire. Tu me devras cent livres, en plus du châtiment d'une semaine de cachot que mérite ta fâcheuse manie d'agir de ta seule volonté.

Je faillis lui sauter à la gorge. Qu'il ajoutât une humiliation à une amende me mit hors de moi. Je lui lançai en maîtrisant mal ma colère :

— Messire, vous vous conduisez en satrape dans une demeure qui n'est pas la vôtre. Dieu vous en tiendra rigueur.

Il fit un tour sur lui-même en éclatant de rire.

— Un satrape ! Un satrape ! Où êtes-vous allé pêcher ce mot savant, monsieur le poète ? Quant à mêler Dieu à notre querelle, c'est beaucoup d'honneur que tu nous fais.

Il tira un petit sifflet de corne de sa poche pour réunir trois hommes et me faire conduire dans ma nouvelle demeure : une cave du château.

Prévue pour une semaine, ma réclusion ne dura que trois jours, mais ce fut un calvaire. Ma subsistance consistait en restes de cuisine, avec pour boisson de l'eau et pour compagnons les rats et la vermine. La pénombre humide dégorgeait les relents fétides des prisonniers qui s'y étaient succédé. Pour comble, dans les premiers jours de janvier, il gelait à pierre fendre et je n'avais pour me protéger qu'une couverture mangée aux mites et qui empestait. Si ma séquestration avait duré une semaine, je serais sûrement mort de froid et d'inanition.

Une servante amie de Julia allait m'apprendre que je devais cette remise de peine à une intervention de Marguerite auprès de son époux. J'aurais aimé lui témoigner ma gratitude, quitte à me heurter à un mur de silence.

Le bâtard Guillaume partageait mon animosité pour celui qui se prétendait notre nouveau maître.

Il m'informa d'une violente querelle intervenue entre les deux époux pour des problèmes d'intérêt. Marguerite supportait mal la sujétion que François lui imposait pour ses dépenses. Il fallut qu'elle lui tienne tête avec une vigueur exemplaire pour qu'il consentît à ce qu'elle cédât à sa mère le domaine de Saint-Paul-de-Serre, qui faisait partie de son héritage.

Je trouvais suspects les voyages de plus en plus fréquents de François à Hautefort, où il restait parfois plusieurs jours. Comble de l'indécence, il était revenu un soir en annonçant la visite prochaine de sa maîtresse, Marie. Nous allions attendre plusieurs semaines qu'elle daignât se montrer. Madame l'avait rabroué et l'avait prié de renoncer à cette provocation.

Marie d'Hautefort perdait patience. Qu'attendait son amant pour faire prononcer son divorce d'avec cette oie blanche de Marguerite et prendre sa succession à l'Herm ? Il lui promettait, comme tous les maris encombrés d'une épouse mal-aimée, que l'heure n'allait pas tarder à sonner. J'en étais venu à craindre pour Marguerite un événement provoqué : empoisonnement, accident de cheval, chute du haut d'une tour…

Ma petite chérie évoluait dans cette ambiance délétère, drapée semblait-il d'une souveraine indifférence. Du judas de ma prison, je l'avais surprise à se promener accompagnée par deux domestiques, dans le parc, vêtue, en raison des frimas, d'une ample houppelande de laine rouge d'où émergeaient seuls son visage et un voile de buée. Elle jetait des miettes aux oiseaux et jouait aux boules de neige avec des enfants et ses gardiens.

Si François, de nature dispendieuse, se montrait âpre au gain avec ses paysans, il faisait preuve de largesse avec le moindre de ses visiteurs, comme s'il tenait à faire taire les bruits malveillants qui alimentaient sa réputation de *rapiat.* Ces générosités lui coûtaient peu ; il effectuait des ponctions dans la bourse de son épouse, et, pour éponger des pertes de jeu trop lourdes, empruntait aux gentilshommes des parages.

Il savait le moyen radical de se procurer le pactole qui mettrait fin à son impécuniosité permanente : s'emparer du testament de Marguerite. Il n'osait pas le lui réclamer ; elle n'avait nullement l'intention de le lui confier et veillait sur l'inviolabilité de la cassette où il était enfermé, sans qu'on eût songé à faire appel à un tabellion.

Ce testament si bien protégé ne convenait pas à madame Anne. Sa fille disparue et elle encore vivante (Dieu merci, elle semblait avoir encore de longues années à vivre!), elle eût été contrainte de restituer à son gendre le domaine de Saint-Paul-de-Serre, qui lui procurait des revenus substantiels.

Je vivais chaque jour et chaque nuit ce cauchemar récurrent: François donnant un coup de pouce au destin, d'une manière ou d'une autre, au besoin par la menace ou la torture envers son épouse, pour mettre un terme à cet imbroglio testamentaire.

Il avait envisagé un divorce, mais cela l'eût contraint à imaginer des motifs qui n'existaient pas: Marguerite était une épouse sans reproche.

Il allait trouver une solution d'une extrême perversité: faire croire à l'infidélité de son épouse. Pour remplacer Séverac, mort de vieillesse depuis peu, il avait confié la maîtrise de nos écuries de trente chevaux au jeune Pierre Nadal. Marguerite avait avec cette recrue de longues conversations dans les écuries et le manège, au sujet des nouvelles acquisitions. François imagina une intrigue amoureuse entre eux et en fit courir le bruit.

Ce procédé abject me rappelle un fait réel mais teinté de légende: l'affaire dite de la « Main de cire », que l'on évoquait dans les veillées villageoises.

Ce drame s'était produit un siècle auparavant, à l'Herm, alors que le château n'était qu'une infâme bicoque. Le propriétaire de ce domaine était veuf et père d'une gracieuse créature de quatorze ans, Jeanne, à laquelle il avait confié un page, Gontran de Bourdeilles. Ce beau garçon ne tarda pas à lui témoigner plus que de la révérence.

Un soir où, profitant de l'absence du père parti chasser le loup, Gontran décida de passer à l'acte, il ne trouva guère de résistance mais, l'expédition étant revenue plus tôt que prévu, il dut décamper. Dans sa fuite précipitée, il bouscula une lourde hache accrochée au mur qui, en tombant, trancha net le poignet de sa maîtresse. Le père confia à un cirier le soin de modeler une main conforme au modèle, que l'on ajusta tant bien que mal au poignet mutilé.

Le temps venu de marier Jeanne, elle choisit Gontran. Le soir de la cérémonie, il lui dit : « Il te suffira de lever cette main de cire pour que j'obéisse. » Reniant sa parole, il la trompa outrageusement par la suite, si bien que, lasse de son inconduite, Jeanne lui rendit la pareille. Le soir où il la surprit dans les bras d'un troubadour de passage, Gontran allait les égorger quand Jeanne, levant sa main de cire, lui rappela sa promesse. Elle échappa au supplice mais le troubadour fut sacrifié.

Si j'ai ouvert cette brève parenthèse dans mon récit, c'est afin de montrer l'étrange fatalité, faite de morts suspectes ou de disparitions inexpliquées, qui pèse sur notre vieille demeure. La suite des événements allait en apporter la confirmation.

Je fus long à comprendre ce qui avait incité François à exiler sa belle-mère à Ladouze. Il redoutait qu'elle ne prît le parti, en dépit de son âge et de sa disgrâce physique, de se remarier, ce qui aurait eu des conséquences néfastes pour l'héritage qu'il convoitait.

Ce personnage avait le don d'entretenir en lui et autour de lui des nœuds d'intrigues dont il était le seul maître, avec un but : devenir le propriétaire de l'Herm et de tous ses domaines, puis épouser sa maîtresse d'Hautefort.

Dans les derniers jours de janvier, une grande animation se produisit au château, sans que je puisse en discerner la raison et sans que messire François me donnât une explication. Je vis des groupes de gentilshommes passer le pont : M. de Royère, oncle de François, M. de Chaumont, un de ses affidés, ce gros bouffi de Trasrieu, homme de confiance de mon maître, Pierre Lajoudie, procureur de la juridiction de Tursac, Jean Granier, greffier de justice, les fils Delbarre…

Une telle affluence me parut insolite. Qu'avaient à faire dans nos murs ces gens armés comme pour une expédition guerrière ou une partie de chasse, et ces gens de robe ? Dans la dernière clarté du jour, je ne voyais au milieu de la cour que chevaux, éclats de lances, d'épées et de mousquets, et un petit groupe de paysans en armes. Je me hâtai de faire allumer des torches et préparer la table de la grande salle.

Ce ne fut pas une mince affaire que de nourrir cette troupe hétéroclite, de lui trouver un couchage et de soigner ses chevaux. Je dus improviser et m'en tirai si bien que François ne trouva rien à redire.

Le lendemain, avant le lever du jour, j'assistai, ébahi, à un événement dont le sens m'échappa : une sorte de revue des effectifs, aux flambeaux, au milieu de la cour. Je demandai à Guillaume à quoi rimait cette cérémonie militaire : il m'avoua qu'il n'en savait pas plus que moi. J'en venais à imaginer quelque expédition guerrière contre un seigneur des environs, mais, dès lors, que venaient y faire ces robins ?

Moins d'une heure plus tard, François à sa tête, la troupe, exceptés Trasrieu et Royère, s'éloigna en direction de Rouffignac. Je n'allais pas tarder à être informé du maintien au château de ces deux personnages.

Au cours de la matinée, ils demandèrent à être reçus par Marguerite. Elle achevait son *matinel* et leur demanda ce qu'ils lui voulaient.

— Madame, répondit Trasrieu, notre maître nous a demandé de nous procurer la cassette contenant les documents qui concernent votre famille et de la lui confier à son retour.

Ébahie, elle répliqua qu'elle n'avait reçu aucune consigne à ce sujet et refusa d'obéir.

— Vous ne pouvez vous opposer, madame, à la volonté de votre époux, dit Royère. Nous avons la permission d'utiliser la force mais nous en serions désolés. Alors levez-vous et menez-nous à votre chambre.

Sous les yeux éberlués de ses servantes, Marguerite dut obtempérer. En revanche, lorsque ces gredins exigèrent qu'elle leur remît le contenu et les clés de la cassette, elle regimba, disant qu'il s'agissait d'un larcin. Ils tirèrent leur épée et en portèrent la pointe sur sa poitrine ; elle fut contrainte de leur donner satisfaction.

— Nous avons une autre consigne, dit Trasrieu : celle de vous interdire de quitter cette chambre, sous quelque prétexte que ce soit, sauf si la maison brûlait. Vous n'y recevrez la visite que des gens de votre service ordinaire.

Elle s'écria :

— Mais enfin, allez-vous me dire quel crime j'ai pu commettre qui me vaille ce traitement ignoble ?

— Votre inconduite, madame, répondit Royère.

— Mon inconduite, dites-vous ? J'ignore de quoi vous parlez. Expliquez-vous !

— Madame, dit Trasrieu, vous m'obligez à vous rappeler les relations coupables que vous entretenez avec le valet d'écurie, Pierre Nadal ?

Elle s'esclaffa.

— Quelle est cette fable ? Pierre et moi n'avons qu'une passion commune : les chevaux. Le pauvre garçon, s'il savait ce dont on nous accuse... Tout cela est mensonge et fait pour me perdre ! Si c'est nécessaire, je m'en défendrai devant un tribunal.

— Libre à vous de le faire, madame. Nous allons vous laisser en paix, mais avant, remettez-nous toutes les clés de la maison. Ordre de messire François...

Si j'ai pu relater cet entretien, c'est grâce à la servante qui, ayant écouté à la porte entrebâillée, m'en donna les détails. J'avais l'impression que le cauchemar qui m'obsédait depuis des jours devenait réalité. Comment aurais-je pu imaginer que François eût pu en venir à cet accès de violence, et dans quel but ?

Les persécutions envers Marguerite n'allaient pas s'arrêter là, mais François avait fait en sorte que l'on ne pût l'en accuser : il était absent de l'Herm à ce moment-là.

Le lendemain, de nouvelles épreuves attendaient Marguerite.

Lajoudie, procureur d'office, de retour de la mystérieuse expédition, pénétra dans sa chambre en se disant chargé d'une « mission délicate » de la part de messire François. D'un ton solennel, il lui donna lecture d'un document par lequel la dame Marguerite de Calvimont, ci-présente, cédait la totalité de ses biens à messire François d'Aubusson, absent.

— Si vous en êtes d'accord, madame, veuillez apposer votre paraphe au bas de cette feuille.

Marguerite devait être dans un tel état de prostration qu'elle signa sans émettre la moindre réserve, persuadée peut-être que son geste lui permettrait de recouvrer sa liberté et d'engager une action en justice.

J'étais moi-même si indigné que je courus à Ladouze informer madame Anne des infamies perpétrées contre sa fille. Je partis de nuit et arrivai aux premières lueurs de l'aube, malgré la neige qui tombait à lourds flocons.

Je tirai madame de son sommeil et lui rendis compte de la situation. À ma grande stupéfaction, elle m'écouta en grommelant mais sans manifester le moindre trouble. Si elle semblait d'humeur abrasive c'est que j'avais interrompu son sommeil. Elle était laide à faire peur : masque de carnaval aux traits avachis, orbites excavées, mâchoire édentée, haleine fétide... Soudain elle s'exclama :

— Cette drôlesse est la dernière des sottes ! La voilà dans de jolis draps par sa faute. Filer une intrigue avec un garçon d'écurie... Comment a-t-elle pu commettre cette ignominie ?

— Madame, rétorquai-je, je puis vous assurer qu'il s'agit d'une machination de votre gendre, et que ce n'est que sous la menace qu'elle a dû se défaire de sa cassette, de ses clés et se laisser emprisonner dans sa chambre ! Je la connais suffisamment pour savoir qu'elle n'aurait pu subir cette frustration et ce traitement si vous aviez été présente.

Elle s'écria d'une voix aigre :

— Eh ! que pourrais-je y faire ? Je vais tenter d'obtenir son maintien à l'Herm dans des conditions raisonnables et le versement par son époux d'une pension qui lui permette d'éviter des ennuis d'argent. Je ne peux faire plus.

— En cas de divorce, elle ne supportera pas de cohabiter avec la maîtresse de son mari. Alors, devra-t-elle s'exiler dans un domaine que votre gendre aura la générosité de lui confier ?

— Rien ne l'empêchera de se remarier, jeune et belle comme elle est. Je ne me fais pas de souci pour elle. Maintenant, de grâce, laisse-moi retrouver le sommeil que tu m'as fait perdre avec cette affaire lamentable. Ce n'est qu'en dormant que je puis retrouver ma sérénité. Et Dieu sait que j'en ai besoin…

Elle ajouta en bâillant :

— Va réveiller Julia et fais-toi servir une soupe. Tu dois être transi. Un conseil, Damien : ne te mêle pas de cette affaire, sinon tu pourrais bien y laisser ta vie. Tu ne sais pas ce dont François est capable. S'il t'arrivait malheur, je te regretterais, *mon ami.*

Elle me jeta sur la joue un baiser dont je garde le souvenir comme d'une cicatrice.

J'étais de plus en plus conscient de mon impuissance. Madame m'avait laissé entendre que mieux valait laisser cette affaire suivre son cours et que sa fille ne resterait pas longtemps recluse. Quant à intervenir auprès de François, je savais trop bien l'accueil qu'il me réserverait… s'il consentait seulement à m'écouter.

Dans la matinée qui suivit ma visite à Ladouze, une petite escorte de nos gens se présenta, commandée par un de nos domestiques, Étienne Brunet. Il avait, la semaine précédente, pris le chemin de Périgueux pour en ramener les emplettes dont Marguerite l'avait chargé. Messire François, revenu durant la nuit, fit grise mine et lui lança :

— Fiche le camp et ne reviens que lorsque j'aurai besoin de ton service !

— Mais, messire, que faire des emplettes de madame ? protesta Brunet. Elles vont lui faire besoin ! Je dois les lui remettre en mains propres.

— Impossible, bredouilla François. Elle est... souffrante et ne quitte pas sa chambre. Laisse tes paquets et tes paniers à la cuisine et disparais!

Marguerite souffrante... Je m'informai de sa santé; elle ne donnait lieu, me répondit-on, à aucune inquiétude: elle mangeait et dormait «convenablement». Cela me rassura sans me libérer de mes soucis. Je tentai en vain de lui faire passer un billet, mais les consignes étaient plus sévères que je ne le pensais.

Deux jours plus tard, le 3 février, au début de l'après-midi, sous un soleil radieux, je fus alerté par un singulier manège qui se déroulait dans la cour encore tapissée d'une neige fondante. Quatre cavaliers avaient passé le pont. Je reconnus François à son pur-sang arabe Ali, suivi de Royère, du gros Trasrieu et de Chaumont. Je les croyais encore au château; ils avaient dû partir la veille au soir. À ce va-et-vient insolite je ne trouvais aucune explication logique et n'avais personne à qui confier mes inquiétudes.

À peine étaient-ils descendus de cheval, j'entendis la voix de stentor de François proclamer qu'il allait partir pour la journée à la chasse aux loups dans les parages des Maurézies, et rentrerait tard.

Il convia ses comparses à se sustenter aux cuisines puis leur ordonna de partir illico pour Rouffignac. Là encore, je restai perplexe. Pourquoi Rouffignac, où la foire était passée depuis quelques jours? Qu'avaient-ils à y faire? Le mystère prenait de l'épaisseur. Il n'allait rester au château, outre les domestiques et quelques hommes d'armes, que le capitaine de Saint-Chastrier et les frères Delbarre, qui, de toute évidence, n'avaient rien à y faire.

Je parvins à m'entretenir avec le bâtard Guillaume ; il était aussi désemparé que moi. Je lui demandai s'il savait à quoi rimaient ces allées et venues ; il n'en savait rien, mais ne s'en inquiétait guère, habitué qu'il était, me dit-il, aux « fantaisies » du maître.

Je lui demandai de monter à l'étage, jusqu'à la chambre de madame, et de me rendre compte de ce qui s'y passait. Il refusa, disant avec rudesse que j'y aille moi-même.

C'est ce que je fis aussitôt. En montant à l'étage, je fus ébahi de voir une de nos servantes, Peyronne, sortir de la chambre, portant dans ses bras son nouveau-né. La consigne de François étant de ne faire servir madame que par des domestiques étrangers à la maison, ceux d'Aubusson évidemment, cette présence avait de quoi me surprendre.

Elle me glissa à l'oreille :

— Madame a souhaité voir mon petit *drôle*, alors je le lui ai porté. Elle aimerait vous voir pour vous parler de ses malheurs et vous demander conseil, mais vous ne pourrez pas entrer. La porte de sa chambre est gardée comme les prisons de Périgueux.

Elle me demanda de l'attendre dans l'escalier, le temps qu'elle aille déposer l'enfant dans sa *beneste* au bas des marches.

— Accompagnez-moi, me dit-elle à son retour. Avec moi on vous laissera peut-être passer.

Nous montâmes jusqu'au palier où nous nous trouvâmes devant les lances croisées devant la porte par deux solides gaillards qui portaient sur leur poitrail les armes d'Aubusson. Force nous fut de redescendre dans la cour et d'attendre, nous ne savions quoi. J'étais pour ma part persuadé que le mystère arrivait à son terme et que chaque minute nous en rapprochait.

Nous nous apprêtions elle et moi à retourner aux cuisines pour nous réchauffer et boire un chabrol de bouillon gras, quand une voix, celle d'un des frères Delbarre, tomba comme une pierre de l'étage où se trouvait Marguerite. Elle me glaça le sang :

— Qu'on aille prévenir messire François à Rouffignac ! Madame vient d'expirer !

— Ce n'est pas possible ! gémit Peyronne. Je l'ai vue il y a moins d'une heure. Elle m'a parlé et paraissait en bonne santé.

Delbarre continua de crier de la fenêtre du palier que madame était morte et qu'il fallait prévenir messire François, qui se trouvait à Rouffignac. Peyronne tomba dans mes bras avec des sanglots, répétant que ce n'était pas possible, que si sa maîtresse était morte c'est qu'on avait dû l'y aider.

Elle s'écriait en tapant des poings sur ma poitrine :

— Ils l'ont tuée ! Je vous dis qu'elle était bien vivante tout à l'heure et qu'elle m'a parlé !

Je lui demandai de m'attendre et me précipitai dans l'escalier, bousculant les deux gardes qui le descendaient.

Parvenu devant la porte, je la heurtai à coups de poing en hurlant :

— Ouvre cette porte, Delbarre ! En l'absence de messire François, c'est moi le maître du château. Ouvre, c'est un ordre !

Il ouvrit et me répondit en faisant siffler son épée hors de son fourreau :

— Arrière, Renaudie ! Tu serais le roi ou le pape que tu passerais pas. Fous le camp, sinon il t'en cuira ! L'ordre est de laisser entrer personne, du moins pour le moment.

— L'ordre ? m'écriai-je. De qui donc ?

— Tu le sais aussi bien que moi ! Alors, décampe, ça vaut mieux pour toi ! On te fera signe en cas de besoin.

Alors que je reprenais pied dans la cour, un trait de lucidité me traversa l'esprit : si des consignes avaient été données, c'est de toute évidence que l'événement avait été prémédité, et je savais par qui. Je confiai cette suspicion à Peyronne ; elle étouffa un cri derrière ses mains en balbutiant :

— Ce ne serait donc pas une mort naturelle, mais…

— Oui, on peut l'affirmer : un crime, la conclusion d'une affaire d'héritage. Le coupable, nous le connaissons toi et moi : c'est notre maître.

Elle gémit, la tête contre mon épaule :

— Messire François… Comment est-ce possible ? Il se trouve à Rouffignac et il va falloir le prévenir !

— Ce ne sera pas nécessaire. Il est déjà là…

François, en effet, n'était pas loin, un coup de mousquet parti du châtelet du pont l'ayant prévenu que l'affaire était consommée. Il entra dans la cour, quelques instants plus tard, suivi par Royère et Trasrieu. Descendu de cheval sans le moindre empressement, il fit appeler le capitaine Saint-Chastrier, s'entretint quelques instants avec lui et se fit précéder dans la chambre de la morte.

Je m'engageai à leur suite dans l'escalier mais dus m'arrêter à mi-chemin devant des lances croisées. Deux servantes affolées descendaient, portant des bassines de linges. Je suivis dans la cour l'une d'elle, Berthe, et lui demandai comment notre maîtresse était morte. Elle me fit signe de la main qu'elle ne pouvait rien me dire. Je la suivis jusqu'à la buanderie et la sommai de me révéler ce qu'elle avait observé en faisant la toilette mortuaire. Elle balbutia :

— Elle était encore chaude, monsieur Damien. Quelle pitié ! On aurait dit un ange endormi.

— Mais encore... Qu'as-tu remarqué sur son corps ? Des traces de coups, une blessure peut-être ? Vas-tu parler enfin ! Tu ne risques rien.

Elle bredouilla :

— J'ai vu... j'ai vu une marque de coup sur sa tempe droite... et au cou une autre en forme de collier rouge, comme si... comme si...

— ... on l'avait étranglée ?

Elle hocha la tête et se détourna pour cacher ses larmes dans son mouchoir.

— Quoi d'autre, Berthe ? Réfléchis bien.

Elle peinait encore à me répondre, comme si un châtiment l'attendait.

— Elle avait sur elle aucun des bijoux qu'elle portait après sa toilette, au début de la matinée, alors qu'elle s'en séparait que pour se coucher.

— Que sont-ils devenus selon toi ?

— Je sais pas, monsieur Damien, je vous le jure. En tout cas, ils étaient pas sur la table de nuit, ça j'en suis certaine.

Ce qui lui avait paru étrange, c'est que l'on eût demandé à Émilie, sa compagne, et à elle de coudre le corps encore chaud dans un linceul, comme pour le faire disparaître au plus vite, en n'oubliant pas le visage.

Elle s'écria entre deux hoquets :

— Chez nous, on voile pas le visage des morts, vous le savez, monsieur Damien ! C'est un sacrilège. Émilie a protesté. Messire François lui a ordonné de se taire et, comme elle s'arrêtait pas, il lui a donné un coup de cravache à la figure.

Elle ajouta en me secouant le bras :

— Je vous en conjure, monsieur Damien, dites à personne ce que je viens de vous raconter. Je serais renvoyée ou punie.

Je le lui promis et la remerciai de sa confidence.

La matinée tirait à sa fin quand je parvins à aborder François, alors qu'il s'apprêtait à passer à table. Il avait fait mine de ne pas me voir ; je lui touchai l'épaule, il se retourna et me dit d'un ton rogue :

— Que me veux-tu encore, Renaudie ?

— Simplement, messire, vous demander la permission de voir une dernière fois la morte. Vous savez combien elle m'était chère.

Il se gratta nerveusement la barbe avant de répondre d'un air embarrassé :

— Ce serait inutile : je viens de la faire coudre dans son linceul, de la tête aux pieds. Tu ne verrais rien d'elle.

— Vous avez agi prudemment en dissimulant son visage, lui dis-je avec aplomb.

Il se figea, fit un pas vers moi et me dit d'une voix grinçante, si proche de mon visage que je sentais son haleine chargée de vin :

— Je devrais te faire jeter au cachot pour avoir osé proférer une telle insinuation. Ma pauvre épouse avait le cœur fragile et la moindre émotion pouvait lui être fatale. Je crois qu'elle n'a pas supporté de voir le nourrisson de Peyronne, elle qui aurait tant aimé être mère. Tout le reste n'est que billevesées. Maintenant, laisse-moi : je meurs de faim !

Les obsèques ne se firent pas attendre.

Le lendemain matin, dans un grand branle-bas de cloches, celles de l'Herm et de Plisse mêlant leurs voix, les obsèques allaient avoir lieu dans la plus grande discrétion, en présence des complices de François et de quelques familles de paysans.

Elles allaient être contrariées par un coup de théâtre après l'office funèbre. Au moment où l'on s'apprêtait à faire descendre le cercueil dans la fosse, madame Anne d'Abzac, informée des mauvais traitements infligés à sa fille, avait quitté sa résidence de Ladouze. Informée (par qui ?) qu'il se passait des choses terribles au château, elle menaçait de porter plainte et réclamait une autopsie. Elle exigea que la mise en terre fût remise. Messire François, après une âpre discussion sous le grand chêne, en marge de la cour, y consentit de mauvaise grâce.

Déposée dans sa chambre le surlendemain, en vue de l'autopsie réclamée par la justice, la morte fut confiée à trois praticiens de Périgueux : le médecin Madranges, le chirurgien Fournier et l'apothicaire Aubarède. L'opération se déroula en présence de la dame Anne d'Abzac, de François, de Peyronne, la dernière servante à avoir vu Marguerite vivante, et de quelques affidés du veuf.

Peyronne, quoique tenue au secret, ne se fit pas faute à ma requête de me révéler des détails sur cette scène éprouvante. Fournier avait ouvert le ventre de la morte, examiné avec soin, dans un petit laboratoire de campagne, ses entrailles et ses organes, sans y trouver la moindre trace de poison.

Je lui demandai ce qu'ils avaient pensé des traces de coup et de strangulation ?

Ils n'avaient rien pu en voir, messire François ayant tenu, par un étrange mouvement de pudeur, à ce que l'on ignorât le visage, « défiguré, disait-il, par la douleur ». Ils se *devaient* d'ignorer dans leur constat les mauvais traitements que la victime avait subis.

Ce que Peyronne oublia de me dire, mais que je pus constater, et pour cause ! (j'assurais le service de la table), c'est que les praticiens furent traités généreusement avant et après l'autopsie. Ce traitement, ajouté sans doute à des compensations vénales, les avait enclins à l'indulgence. Comment auraient-ils pu supposer qu'un personnage aussi important que messire François d'Aubusson puisse être suspecté du meurtre de sa femme?

Tandis que je veillais au service de la table, j'avais envie de souffler à l'oreille de ces gredins: «Messire François est un criminel et vous ses complices! Il mérite le billot et vous la corde!» Modeste vengeance, je leur fis servir un vin destiné au vinaigrier. François m'en fit le reproche et me demanda de faire monter de la cave un vin digne de ses hôtes. Je lui dis en le regardant fixement:

— Messire, à mauvaise cause, mauvais vin.

Il souffla, blême de rage:

— Tu me paieras cette insolence, maraud! Tu ne perds rien pour attendre.

J'avais tout lieu d'être inquiet des conséquences de ma rébellion: c'est ma vie que j'avais jouée imprudemment. François ne me pardonnerait pas mon insolence. J'allais devoir me méfier de lui, comme lui de moi. Il était persuadé, semble-t-il, que je détenais des secrets qui auraient pu lui coûter cher si je les avais répandus dans les auberges de la contrée.

Je fis preuve de prudence, me refusant aux missions suspectes, veillant à ce que ma cellule fût verrouillée et barrée d'une lourde latte de chêne, et à garder sous mon oreiller deux pistolets de poing prêts à la détente.

Madame Anne d'Abzac demanda à me rencontrer dans sa chambre. Après avoir fait mine d'essuyer quelques larmes, elle m'embrassa. Cette tragédie, me dit-elle, la laissait « inconsolable » : il ne lui restait plus qu'à mourir. Je n'en crus pas un mot. Si elle n'avait pas donné son aval à ce meurtre, elle n'avait rien fait pour l'éviter. Elle avait renoncé à porter plainte contre son gendre, cette menace n'étant qu'une manœuvre destinée à éloigner d'elle tout soupçon de complicité et aussi à le dissuader de lui réclamer la restitution du domaine de Saint-Paul-de-Serre.

Elle resta allongée sur son lit dans sa tenue de deuil, et me fit asseoir à son chevet. Je devinai, à la pression de sa main sur la mienne, que nous allions aborder le domaine des confidences.

— Damien, me dit-elle, nous nous connaissons depuis trop longtemps pour qu'il y ait entre nous des secrets inavouables. Dès mon arrivée, j'ai questionné nos servantes pour connaître le fin mot de cette pénible affaire. Peyronne a pu voir le cadavre de ma fille. Elle m'a confié qu'elle était morte à la suite des mauvais traitements dont son visage et son cou portaient la preuve. Le refus de François de laisser voir son visage lors de l'autopsie le confirme. Damien, ce crime restera-t-il impuni ?

— Je le crains, madame. Votre gendre est prêt à supprimer qui oserait douter de son honorabilité. Il me l'a fait comprendre, si bien que je crains pour ma vie. Encore qu'à mon âge…

J'aurais aimé lui rappeler que la mort de sa fille n'arrangeait pas ses affaires, mais j'aurais provoqué la colère et l'inimitié de cette marâtre qui avait assez à faire avec sa conscience. Cela n'aurait fait qu'envenimer l'ambiance délétère qui régnait au château.

Oserai-je le dire ? Je me sentais veuf de ma petite Marguerite et, plus que madame, *inconsolable*.

Trois nuits durant, je m'attachai à un poème dédié à sa mémoire, en évitant les excès d'affliction. Je fis en sorte que l'on supposât qu'elle n'était pas morte et qu'elle allait, sortant de sa tombe, me lancer, comme lors de notre dernier jour ensemble, quelques semaines avant sa mort : « Dis, parrain, aurons-nous du beau temps aujourd'hui ? J'ai envie de faire une longue promenade en forêt. Tu m'accompagneras, dis ? Tu m'apprendras des noms de fleurs et d'oiseaux… »

Pour me souvenir des traits de mon enfant chérie, je n'avais pas besoin de contempler le portrait qu'un peintre de passage avait fait d'elle, alors qu'elle avait seize ans. Elle ressemblait, avec sa large collerette blanche, à la fleur dont elle portait le nom. Ce qui me bouleverse, c'est cette mélancolie qui affectait son sourire, comme si elle ressentait la prescience de sa fin.

Il m'arriva, au début du printemps, d'emprunter à Pierre Nadal la jument qui avait remplacé le poney de Marguerite. Je me lançais au petit bonheur à travers la forêt, et faisais halte aux endroits où nous avions l'habitude de laisser reposer ou boire nos montures : le sommet d'une colline, une fontaine, une grotte… Et la vieille bête que je suis essuyait quelques larmes.

10

LA JUSTICE ? QUELLE JUSTICE ?

François allait devoir rendre des comptes pour son crime.

Il n'y eut pas, du moins à ma connaissance, de dénonciation directe, mais une rumeur qui, enflant de ville en village, parvint à l'oreille de robins scrupuleux, surpris que la plainte de madame Anne d'Abzac n'ait pas eu de suite. Ce manège tortueux donnait une idée néfaste d'une magistrature en grande partie asservie aux puissances nobiliaires.

À ma grande surprise, madame n'avait pas renoncé à traîner son gendre devant les tribunaux de Périgueux, voire au-delà. Elle avait décidé de se constituer partie civile. Il fallait bien, dès lors, que sa plainte, sortant de l'ombre des soupçons, suivît son cours.

Elle accusait François mais n'épargnait pas ses complices, dont certains de la meilleure noblesse provinciale. L'affaire avait pris une telle importance qu'elle allait être portée devant le parlement de Bordeaux, qui décréta la prise de corps de François et de ses nervis pour le 30 mars.

Le procès allait se corser lorsque la grande famille des Calvimont, ajoutant ses plaintes à celles de madame, mit à sa tête Léon de Saint-Martial, conseiller dans cette auguste assemblée, comme l'avait été son père. Venaient à la rescousse les Calvimont de Chabans, de Galabert, de La Durantie, de La Tour… L'Aubussonnais avait du souci à se faire.

Autour de François se trouvaient ses comparses les plus notoires : Royère, Chaumont, Trasrieu, les frères Delbarre, sans que l'on sache à qui la victime devait son supplice. Premier soin de François : récuser le Parlement, sous le prétexte fallacieux qu'il était acquis de longue date aux intérêts des Calvimont. Selon lui, en bonne justice, c'est une autre circonscription qui aurait dû inscrire cette affaire à son rôle. Il en appela au roi ; devant la complexité de cette situation, les robins de la cour royale décidèrent de remettre le procès à trois mois. Autant dire aux calendes…

Dans les premiers jours d'avril, lasse de ces tergiversations, madame Anne avait sommé le sergent de justice Lamoureux de faire procéder sur-le-champ à la prise de corps de son gendre et de ses acolytes.

Le sergent lui opposa qu'il n'avait pas les moyens suffisants en hommes et en armes pour cela et qu'il aurait à affronter trop de risques, à commencer devant sa hiérarchie. Elle lui répondit qu'il n'était pas seulement chargé d'arrêter les ivrognes ou les vagabonds, et que ce genre de risques faisait partie de sa mission. Il finit par consentir, mais en exigeant une escorte d'une dizaine d'hommes bien armés.

Affaire conclue, cette expédition allait avoir des conséquences tragiques.

Informé de ce danger, François se porta à la rencontre de Lamoureux avec quelques cavaliers d'Aubusson. Il tendit au sergent une embuscade dans les parages de La Taleyrandie, entre l'Herm et Ladouze, et lui tua trois hommes. Quant à Lamoureux, il perdit son cheval et ne dut sa sauvegarde qu'en sautant sur celui de son écuyer, abattu sous ses yeux.

Non content de cette victoire, François partit faire la bravade sous les murs de Ladouze, où madame résidait de nouveau. Elle s'y enferma, appela à la rescousse le ban de ses alliés et s'apprêta à subir un siège ; personne ne daigna faire écho à ses malheurs. Que les loups se dévorent entre eux !

François retourna à l'Herm dans les jours qui suivirent.

Des mois passèrent et l'affaire s'enlisait quand le roi décida de la faire instruire par le parlement... de Rennes ! On dut y renoncer en raison des distances et de la différence de langues défavorable à l'enquête publique.

Quand Sa Majesté décida, en tapant du pied, que cette parodie d'instruction avait assez duré, c'est à Bordeaux que revinrent les dossiers. À la première session du Parlement, aucun des prévenus ne daigna se présenter.

Je suivais d'un œil apitoyé plus qu'amusé les actes de cette tragi-comédie qui alimentait la gazette de Périgueux, les foires et les marchés de la province et de ses voisines.

Chaque jour, avec la même émotion, je me rendais sur la tombe de Marguerite pour y déposer les fleurs sauvages dont elle faisait jadis des bouquets. Les vers des *Stances* de Malherbe remontaient à ma mémoire : *Et rose elle a vécu ce que vivent les roses...* J'y ajoutais une courte prière : « Un jour, ma chérie, tu seras vengée. En attendant, que Dieu te donne le repos que tu mérites. »

La nouvelle châtelaine était Marie d'Hautefort. Elle attendait, avec un espoir mêlé d'une furieuse impatience, que le parlement de Bordeaux se décidât enfin à disculper François, qu'elle venait d'épouser, ou à se déclarer incompétent.

Cette brunette de près de vingt ans, qui prétendait descendre du troubadour Bertran de Born, ne manquait pas de vénusté : carnation pulpeuse et ivoirine, yeux larges et sombres comme sa chevelure, allure majestueuse et autoritaire...

François lui avait-il présenté une image défavorable de ma personne ? Toujours est-il qu'elle m'avait manifesté d'emblée son inimitié, si bien que je sentais venir mon renvoi. Elle était entourée de ses propres serviteurs qui ne me ménageaient pas sarcasmes, humiliations et traquenards.

Marie aimait les réceptions et les fêtes. Elle y brillait de tous ses feux : ceux de sa beauté, de ses toilettes et de ses bijoux, dont elle se parait comme les Vierges espagnoles des processions. Elle manifestait à ce propos des exigences que François ne pouvait lui refuser bien qu'il fût à court d'argent, comme d'organiser des tournois dans le parc. À l'issue d'un repas clôturant l'une de ces fêtes, elle se leva pour déclamer un des *sirventes* de son aïeul : « Rien ne me plaît autant que le beau temps de Pâques... » C'était celui où il reprenait les armes !

François allait se rendre coupable d'un nouveau crime. Indisposé par l'acharnement du sergent de justice Lamoureux, créature attachée plus que jamais à sa belle-mère, il lui tendit un nouveau piège, mima une escarmouche, et le fit pendre avec ceux de son escorte, à la manière de Blaise de Monluc.

Informé de cette affaire, le parlement de Bordeaux fit appréhender le coupable ; il se déroba et l'instruction fut renvoyée à celui de Toulouse, dont François réfuta la compétence. L'affaire allait sombrer des années durant dans les marécages nauséeux des cours de justice.

Alors que les robins piétinaient lamentablement cette boue, j'allais assister au partage des dépouilles et en fus écœuré.

Je voyais en ces personnages des fauves occupés à se disputer les meilleurs morceaux d'une proie. Impuissante à se faire reconnaître la totalité de l'héritage de sa fille, madame Anne d'Abzac avait consenti à retirer sa plainte contre François, moyennant la restitution du domaine de Saint-Paul et la cession de La Rue.

Face à une conjuration des Calvimont, toutes branches confondues, François d'Aubusson n'avait pas la partie facile, surtout avec aux pieds ce boulet de galérien : le meurtre inexpiable de sa jeune épouse, qui le vouait à l'exécration populaire, et celui du sergent Lamoureux. Je l'aurais volontiers imaginé en proie aux remords, mais ce sentiment lui était étranger, occupé qu'il était à batailler pour défendre jusqu'à Paris les fruits de son crime.

Son absence se prolongeant pendant des semaines, Marie décida de prendre l'affaire en main et convoqua à Ladouze la parentèle des Calvimont pour un entretien accompagné d'une partie de chasse. Il y avait chez les gens d'Aubusson qui la suivaient quelques maladroits qui abattirent, les ayant pris pour des sangliers, les deux frères de Saint-Martial, Gabriel et Balthazar, les plus exigeants durant les pourparlers. Ils auraient dû savoir qu'on ne traite pas avec le diable.

Les voltes suspectes de la madame d'Abzac me laissaient perplexe. Après avoir cédé à son gendre les droits relatifs à l'héritage de Marguerite, voilà qu'elle les revendiquait ! Elle n'avait pas l'air de craindre une main criminelle (on ne tue pas une dame de quatre-vingts ans) ni l'opinion fort remontée contre elle : certains, persuadés qu'elle était complice, par intérêt, du meurtre de sa fille, qu'elle n'avait jamais vraiment aimée, ne se privaient pas d'éveiller des soupçons.

Mal conseillée ou prise de remords, la dame d'Abzac nageait dans une telle confusion qu'elle perdit pied et s'accrocha à moi pour ne pas sombrer. Je n'avais aucune envie de secourir cette marâtre, mais je répondis néanmoins à l'entretien qu'elle me proposa, à Ladouze. L'atmosphère de l'Herm, me dit-elle, lui paraissait insupportable depuis la venue de Marie d'Hautefort et son mariage avec François.

Elle m'invita à partager son chocolat et ses massepains et gémit, après quelques considérations sur le temps qui avait abîmé sa récolte de prunes :

— Damien, mon ami, tu as devant toi une pauvre femme obligée de se battre malgré son âge pour faire valoir ses droits, contre un criminel et un diable en jupons. Ils veulent tout l'héritage de ma fille ? Eh bien, je me suis juré qu'ils n'en auraient rien, mais que d'embrouilles et de pièges à éviter pour y parvenir !

Elle nous fit servir du chocolat au lait par Julia, avec qui je venais de passer une nuit paisible, comme les vieux amants que nous étions. Madame reprit :

— Le bruit court que François risque d'être déchu de la succession de ma fille, morte intestat et sans enfants. Dès lors, qui d'autre que sa mère pourrait recueillir son héritage ? Eh bien non, outre que mon gendre se propose de faire appel de cette mesure, voilà que les Calvimont eux-mêmes me menacent d'un procès !

Ébaubi, je m'écriai :

— Les Calvimont, madame ? Un procès ? De quoi peuvent-ils bien vous accuser ?

Elle s'exclama d'une voix de pie-grièche :

— Ils me reprochent mes tractations avec François, qu'ils prennent pour une complicité dans le meurtre de ma fille. Tu vois, on ne m'épargne aucune humiliation ! Je suis attaquée de toutes parts et mal conseillée, par des gens qui ne se montrent que pour me réclamer des fonds !

Je lui répondis, sans en croire un mot :

— Madame, vous avez encore de bonnes armes pour vous défendre : perspicacité, jeunesse de cœur, connaissance des hommes, énergie... Continuez votre lutte. Vous êtes sur la bonne voie, la victoire est proche.

Autant de flagorneries...

— L'idée m'est venue, reprit-elle, de te demander de m'aider à sortir de cette pétaudière. Personne ne connaît ma situation mieux que toi, mon ami. Tu pourrais donner ton congé à François et venir t'installer ici. Je saurais me montrer généreuse et assurer tes vieux jours.

Elle bredouilla un chiffre qui aurait eu de quoi me tenter si j'avais eu le goût du sacrifice.

— C'est un pont d'or que vous me proposez, madame, mais...

— Quoi donc ? Que souhaiterais-tu ?

— La semaine passée, j'ai pris une décision sur laquelle je ne reviendrai pas : d'ici peu j'annoncerai mon départ à votre gendre, et personne n'entendra plus parler de moi, pas même vous, madame, et croyez que je le regrette. J'ai résolu d'employer les dernières forces et la lucidité qui me restent à relater les événements dont j'ai été le témoin depuis que je suis entré au château.

Elle ricana :

— Écrire tes mémoires, toi, Damien Renaudie ? Pour qui ? Pour tes enfants ? Tu n'en as pas ! Parleras-tu de la mort de ma fille, de moi ?

— Assurément.

Elle se leva brusquement, renversant sa tasse de chocolat sur sa robe, et s'écria :

— Je te l'interdis ! Je tiens à lire tout ce qui doit concerner ma personne. Quand tu en auras fini, j'aimerais que tu me fasses lire ces écrits. Le feras-tu ?

— Non, madame, n'y comptez pas.

Elle tendit son bras vers la porte en hurlant :

— Eh bien, que le diable t'emporte, ingrat ! Si tu racontes des sottises sur mon compte, tu le regretteras : je te traînerai devant les tribunaux et tu finiras tes jours en prison !

Je n'avais pas menti à madame d'Abzac en l'assurant que j'allais quitter le château.

Un soir, sur la fin de l'hiver, j'attendis, pour informer François de mon départ, qu'il fût de retour d'une chasse aux loups dans les parages de Madaillan, où ces fauves avaient agressé et dévoré un jeune vacher. Au débotté, devant la cheminée, il parut indifférent. Après le repas, il avait changé de comportement à mon égard.

— Tu songes vraiment à nous quitter, Renaudie ? Puis-je en connaître les raisons ?

— Regardez-moi donc, messire ! J'ai des cheveux blancs, je suis perclus de rhumatismes et le moindre effort m'est pénible. Auriez-vous oublié que je ne suis pas loin des quatre-vingts ans et que j'ai droit au repos ?

— J'avoue que ta décision me peine. Par qui vais-je te remplacer ?

— Vous trouverez sûrement un bon sujet sur le marché aux domestiques de Rouffignac.

— C'est une bonne idée, Renaudie. Il n'empêche : si tu acceptais de rester quelques années de plus, je pourrais augmenter tes gages.

— Grand merci, messire. Je me suffirai des trois mois qui me sont dus et je vous fais grâce des intérêts.

Les imbroglios qu'il traversait depuis des années avaient fait de lui presque un vieil homme aux traits tirés, au ventre lourd, au dos voûté. Je me dis qu'il n'allait pas tarder à ressembler à son défunt père, messire Foucaud.

Ce n'est pas sans émotion que j'ai pris congé de ma chère Julia, à Ladouze, en faisant mes adieux à madame Anne. Les années s'étaient accumulées sur nous sans que nous éprouvions la moindre lassitude l'un vis-à-vis de l'autre. J'aurais pu l'épouser si elle n'avait pas fini par se marier avec un maquignon renommé dans toute la forêt Barade, si souvent absent qu'elle avait l'impression d'être unie à un fantôme. Elle avait accouché de deux enfants mort-nés et n'avait pas persisté dans ses envies de maternité.

— Au moins, me dit-elle, au moment de la séparation, nous reverrons-nous ?

Je lui répondis que j'en doutais, elle à Ladouze, moi à l'Herm et privé de ma jument Sultane, dont François avait exigé de bon droit la restitution.

— Si une occasion se présente, lui dis-je, je serai ravi de te revoir.

Elle ne s'est pas présentée à ce jour et je n'en ai pas trop souffert : il n'y avait plus entre nous qu'une amitié qui s'accommodait de l'absence.

Marie me rejoignit alors que je finissais d'entasser dans un *charretou* mes quelques frusques, des bibelots, souvenirs de Marguerite, le coffret contenant mon écritoire et mes écrits... Je ne m'attendais pas à ce qu'elle se jetât à mes pieds pour me demander de rester et ne fus pas déçu. En guise d'adieux, je lui baisai la main qu'elle me tendait. Elle me dit simplement :

— Vous allez nous manquer, Renaudie. Je crains que notre nouvel intendant n'ait pas votre savoir et votre honnêteté. Je vous souhaite une longue vie. Adieu.

Je n'avais pas un long trajet à faire pour retrouver ma maison de famille : celle de ma sœur Albine et de mon beau-frère Léonard, pour y loger le temps d'aménager dans mon nouvel ermitage, sur le chemin de Plisse.

11

UN BEL AUTOMNE DE VENDANGES

J'ai dû me débattre toute la nuit pour trouver sur mon grabat une place favorable au repos de ma vieille carcasse démantibulée. J'ai abusé la veille du beau temps et fait une trop longue promenade à pied, par défi contre moi-même. Je m'attends à une sévère rebuffade d'Albine.

Les cloches de l'Herm, de Plisse, et, plus loin, celle des Borderies m'ont réveillé peu après le lever du jour, sonnant à toute volée comme pour annoncer un incendie ou la fin du monde. Debout sur le seuil, transi de froid, j'inspectai l'horizon de la forêt sans percevoir d'autre fumée que celle des fours de charbonniers. Le ciel était couleur de marbre rose.

J'ai fait une toilette de chat, avalé une frotte-à-l'ail avec un verre de vin et me vêtis convenablement pour me rendre au château prendre des nouvelles. En traversant le village, je fus surpris de voir des femmes agenouillées sur le seuil, en train de prier. Albine me demanda ce qui occasionnait un tel branle, comme si, enfermé dans ma tanière, un ange venu du ciel aurait pu m'en informer.

Le château semblait devenu la scène d'une dramaturgie à l'antique. Des cavaliers passaient ou repassaient le pont et, dans la cour, il régnait un branlebas infernal. La domesticité courait en tous sens, des femmes confondaient leurs prières dans un bourdonnement confus et se signaient à tour de bras. Comme je suis dur d'oreille, je m'approchai d'un groupe au milieu duquel un homme, en qui je reconnus Guillaume le bâtard, pérorait. J'entendis qu'on parlait du roi. J'en demandai la raison. Une femme me répondit :

— Le roi est mort il y a trois jours. Il a été assassiné à Paris.

Si je n'avais pas eu ma canne, je crois que mes jambes auraient refusé de me porter. Je m'avançai d'une allure chancelante vers la chapelle qui brillait du feu des cierges, et d'où sortait un brouhaha de gémissements et de prières.

Assis sur un moellon, j'attendis la fin de cette cérémonie improvisée. Le nouvel intendant, Maurel, s'avança vers moi ; il me fit signe de ne pas me lever et me dit :

— Nous venons d'être informés de la mort du roi Henri par un sergent de la sénéchaussée qui effectue une tournée dans les villages. On l'a tué dans son carrosse. Le coupable serait un certain Ravaillac. Nous n'en savons pas plus pour le moment. Messire François est parti pour Sarlat et reviendra avec d'autres nouvelles. C'est un grand malheur, monsieur Renaudie, un vrai grand malheur.

Maurel m'invita aux cuisines pour le dîner. Je passai un moment de l'après-midi à méditer devant la dalle qui portait le nom de Marguerite, après y avoir déposé quelques fleurs sauvages. De retour peu avant l'angélus du soir, messire François ne fit que nous confirmer ce que nous savions déjà, ajoutant que le roi était mort le 14 mai et que l'on supposait que la main de Ravaillac avait été armée par d'anciens membres de la Ligue.

Madame Marie, affligée par cette atroce nouvelle et coiffée comme Méduse, avait négligé sa toilette. Debout devant la porte de l'escalier, elle allait recevoir durant des heures des visiteurs des villages voisins venus s'informer. Prostré dans sa chambre, messire François refusait qu'on le dérangeât.

Notre province et le pays tout entier allaient porter le deuil du meilleur souverain que nous ayons connu. Il était aimé de tous, sauf d'un reliquat de ligueurs nostalgiques des guerres civiles. Il avait bien mérité le nom de « Henri le Grand » que le peuple lui avait décerné pour avoir rétabli la paix et la prospérité dans son royaume, et de « Henri le Bien-Servi », parce qu'il avait su s'entourer de grands serviteurs, comme le marquis de Rosny, plus connu sous le nom de son domaine : Sully, sur la Loire.

Seule lumière dans l'ombre qui recouvrait le pays : les préparatifs d'une guerre contre l'Autriche étaient remis *sine die*.

Nous apprîmes quelques jours plus tard les circonstances de ce drame. Alors qu'Henri se rendait chez Rosny, à l'Arsenal, le carrosse qu'il partageait avec quelques proches avait été arrêté rue de la Ferronnerie par un embarras de voitures. Ravaillac (maudit soit son nom !) en avait profité pour lui planter son couteau dans le flanc, « pour sauver l'Église » ! Ramené au Louvre, le roi avait succombé quelques heures plus tard.

Détail troublant : Henri avait, à diverses reprises, révélé à ses proches sa prémonition d'une fin prochaine, alors qu'il était en parfaite santé. Dieu l'a pris au mot et fait de Ravaillac l'exécuteur des basses œuvres. Ce criminel allait subir en place publique un supplice suivi d'un démembrement à quatre chevaux.

Durant les mois qui ont suivi la mort du roi Henri, je n'ai pu ajouter une page à mon récit, comme si une partie de mon être était paralysée. Il tirait à sa fin. À chaque tentative je constatais que mon écriture devenait moins lisible.

Mais qui donc, me disais-je, pourra prendre intérêt à cette relation ? Je ne voyais personne dans mon entourage qui en fût capable, sinon Jérôme Lagrange, l'époux de ma sœur Julie, cadette d'Albine. Il occupait un poste de greffier au tribunal de Sarlat. J'appréciais sa solide culture et ses qualités humaines. Nous nous rencontrions à l'Herm pour les fêtes publiques et familiales.

Je lui ai parlé de mon travail et l'ai prié de s'en entretenir avec moi. Il s'est empressé d'obtempérer ; une semaine plus tard, un dimanche, il s'est rendu aux Bories avec son épouse et un petiot de quatre ans. Je les ai gardés à déjeuner après la messe.

— J'aimerais, lui dis-je, que tu lises ces écrits et me donnes ton avis. Si tu le juges bon, tu pourrais les proposer à un imprimeur de Périgueux. Je puis aider aux frais de leur publication.

Il en lut quelques pages en fumant sa pipe et en hochant la tête, sourit à certains passages, et conclut :

— Cela me semble bon à être imprimé. Je dois me rendre à Périgueux dans une semaine et pourrai rencontrer un honnête imprimeur de mes connaissances. Je vous tiendrai informé de ma démarche.

Une quinzaine plus tard, il m'adressait un billet pour me dire que l'imprimeur était disposé à entreprendre la publication de mon récit. Il avait même proposé un titre que je trouvai longuet mais qui convenait : *Relation des événements, légendes et drames qui se sont produits au château de l'Herm et dans les parages, en Périgord.* Simple objection : je demandai que l'on retirât le mot « légendes », ce récit prétendant ne relever que de la réalité historique, même si je n'ai pu éviter quelque confusion dans les dates et les faits, notamment pour ce qui a trait à l'imbroglio des successions.

En septembre, comme chaque année, j'ai tenu à participer chez Albine aux travaux des vendanges. La cueillette étant trop pénible pour moi, je ne résistai pas au plaisir de fouler la vendange dans le cuveau, malgré ma jambe quasi impotente, qui parut retrouver sa vigueur.

J'ai payé cher, cet ultime défi. Au cours du repas pris dans la grange, terrassé par un malaise, je me suis laissé tomber en avant, le nez dans mon assiette de haricots. En retrouvant mes esprits, je me suis vu allongé sur une botte de paille, avec une grappe de visages inquiets au-dessus de moi. J'ai réclamé un verre de vieille prune avant de balbutier :

— Ce n'est rien, mes amis. Une petite faiblesse… la fatigue…

J'ai eu du mal, une fois debout, à tenir sur mes jambes, si bien que l'on m'a ramené aux Bories dans un *charretou* tiré par deux hommes. Albine a chargé une de mes nièces, Marion, une drôlesse de treize ans, de veiller sur moi.

Il n'a pas été nécessaire de faire venir le mire de Rouffignac. Trois jours plus tard, j'étais sur pied, les jambes encore flageolantes mais l'esprit lucide. Quand je me suis levé, tard dans la matinée, la forêt Barade resplendissait encore dans la plénitude de sa verdure ponctuée de petites taches couleur de rouille, sous un soleil doux et chaud comme un pain sorti du four. Des nuées de *graules* planaient en criant leur faim au-dessus des premiers labours, faisant écho aux cris des meneurs de bœufs.

Marion à mon bras, j'ai hasardé quelques pas jusqu'à mon pommier pour en ramener des fruits. J'aurais aimé pousser jusqu'à la terrasse naturelle d'où l'on domine l'horizon jusqu'à Saint-Gérac. Marion me l'a interdit.

— Mon oncle, me dit-elle, je vous le permettrai demain, si vous passez une bonne nuit.

Essoufflé, le cœur battant fort, je me suis assis devant mon écritoire, à l'ombre de ma treille. Les mots viennent sans effort sous ma plume, et il me semble que je pourrai, des années encore… que je pourrai…

Récit de Jérôme Lagrange,
greffier au tribunal de Sarlat, juillet 1625

J'imagine la joie que mon beau-frère et ami Damien Renaudie aurait ressentie à feuilleter son récit imprimé quelques mois après sa mort.

Il a fallu des discussions avec l'imprimeur qui doutait que ce livre pût obtenir l'imprimatur du roi. Je me suis chargé avec succès de cette démarche et lui ai fourni les subsides nécessaires à cette publication en prélevant une partie des fonds sur la petite fortune de notre défunt, avec son accord préalable.

La couverture s'orne d'une gravure de ma main. Elle représente le château de l'Herm émergeant d'une sorte de tempête mêlant manants et hommes d'armes. Dans le coin droit j'ai fait figurer la masure des Bories avec un vieillard en train d'écrire sous la treille.

J'aurais aimé que mon beau-frère vive quelques années de plus pour savourer sa vengeance. Condamné par les magistrats de Toulouse à être écartelé, messire François d'Aubusson n'a échappé à cette humiliation et à ce supplice que pour le billot, une sentence qui ne fut pas non plus exécutée, le prévenu échappant aux recherches. Il allait, quelques années plus tard, trouver à Paris, dans la prison de la Conciergerie, une mort cent fois méritée.

Propriétaire des domaines hérités des Calvimont, Marie d'Hautefort connut des jours difficiles. En proie à une fatalité inexorable, le château et la contrée d'alentour allaient être le théâtre de nouvelles discordes et de nouveaux drames, les familles ne parvenant pas à vivre en bonne intelligence.

J'aurais aimé que Dieu, dans sa grande sagesse, mît un terme à cette nouvelle guerre des Atrides, mais, comme l'écrit Damien Renaudie, il a d'autres chats à fouetter.

Table des chapitres

Du même auteur

Les Lions d'Aquitaine, R. Laffont, 1985
La Porte noire. Le dernier jour de Rome, R. Laffont, 1986
Amour du Limousin, Fanlac, 1986
Le Bal des ribauds, R. Laffont, 1988
Orages lointains, vol. 1. Les Dames de Marsanges, R. Laffont, 1988
Orages lointains, vol. 2. La Montagne terrible, R. Laffont, 1989
Orages lointains, vol. 3. Demain après l'orage, R. Laffont, 1990
Napoléon, vol. 2. L'Aigle et la Foudre, R. Laffont, 1991
Balade en Corrèze, Les Trois Épis, 1993
Le Beau Monde. Histoire d'Anna Labrousse, servante, R. Laffont, 1994
L'Orange de Noël, R. Laffont, 1994
Martial Chabannes, gardien de ruines, Seghers, 1995
Henri IV, vol. 1. L'Enfant roi de Navarre, R. Laffont, 1997
Henri IV, vol. 2. Ralliez-vous à mon panache blanc !, R. Laffont, 1997
Henri IV, vol. 3. Les Amours, les Passions et la Gloire, R. Laffont, 1997
Cléopâtre, reine du Nil, R. Laffont, 1997
Lavalette, grenadier d'Égypte, R. Laffont, 1998
Henri IV, R. Laffont, 1998
Jeanne d'Arc, vol. 1. Et Dieu donnera la victoire, R. Laffont, 1999
Jeanne d'Arc, vol. 2. La Couronne de France, R. Laffont, 1999
La Lumière et la Boue, vol. 1. Quand surgira l'étoile Absinthe, R. Laffont, 1999
La Lumière et la Boue, vol. 2. Les Roses de fer, R. Laffont, 1999
Brive aujourd'hui, Les Trois Épis, 1999
La Cabane aux fées, Corps 16, 2000
La Tour des anges, R. Laffont, 2000
Les Chiens sauvages, R. Laffont, 2000
Suzanne Valadon, vol. 1. Les Escaliers de Montmartre, R. Laffont, 2001
Les Portes de Gergovie, R. Laffont, 2001
L'Auberge rouge. L'énigme de Peyrebeille, Pygmalion, 2001
Soupes d'orties, vol. 1, A. Carrière, 2001
Suzanne Valadon, vol. 2. Le Temps des ivresses, R. Laffont, 2001
Le Roman des croisades, vol. 1. La Croix et le Royaume, R. Laffont, 2001

Le Printemps des pierres, R. Laffont, 2001
Le Roman des croisades, vol. 2. Les Étendards du Temple, R. Laffont, 2001
L'Aigle des deux royaumes, L. Souny, 2001
Le Roman de Catherine de Médicis, Presses de la Cité, 2002
La Divine. Le roman de Sarah Bernhardt, R. Laffont, 2002
La Passion cathare, vol. 1. Les Fils de l'orgueil, R. Laffont, 2002
Le Bonheur des Charmettes, La Table ronde, 2002
Fille de la colère. Le roman de Louise Michel, R. Laffont, 2003
Soupes d'orties, vol. 2. Balade des chemins creux, A. Carrière, 2003
Un château rose en Corrèze, Presses de la Cité, 2003
Les Grandes Falaises, Presses de la Cité, 2003
Les Bals de Versailles, R. Laffont, 2004
Soupes d'orties, vol. 3. De granit et de schiste, A. Carrière, 2004
La Caverne magique. Le roman de Lascaux, R. Laffont, 2004
Le Château de la chimère. Le dernier amour de George Sand, La Table ronde, 2004
Les Amants maudits : George Sand, Musset, Chopin, R. Laffont, 2004
Le Pays du bel espoir, Presses de la Cité, 2004
La Passion cathare, vol. 2. Les Citadelles ardentes, R. Laffont, 2004
Les Fêtes galantes, R. Laffont, 2005
Batailles en Margeride, Rouergue, 2005
Le Bal des célibataires, R. Laffont, 2005
Les Fleuves de Babylone, Presses de la Cité, 2005
Le Parc-aux-Cerfs, R. Laffont, 2006
Les Tambours sauvages, Presses de la Cité, 2006
Les Trois Bandits, vol. 1. Cartouche, R. Laffont, 2006
Le Temps des moussons, Presses de la Cité, 2006
Chat bleu… Chat noir…, R. Laffont, 2006
Les Trois Bandits, vol. 2. Mandrin, R. Laffont, 2007
La Petite Danseuse de Degas, Bartillat, 2007
Les Trois Bandits, vol. 3. Vidocq, R. Laffont, 2007
Les Roses noires de Saint-Dominique, Presses de la Cité, 2007
Le Chat et la Plume, La Lauze, 2007
La Vallée endormie, R. Laffont, 2007
La Reine de Paris. Le roman de Madame Tallien, R. Laffont, 2008
La Porte du non-retour, Presses de la Cité, 2008

L'Ange de la paix. Le roman d'Olympe de Gouges, R. Laffont, 2008
Les Grandes Libertines. Le roman de Sophie Arnould et Françoise Raucourt, R. Laffont, 2009
Les Prisonniers de Cabrera. L'exil forcé des soldats de Napoléon, Presses de la Cité, 2009
Les Flammes du paradis, De Borée, 2010
Les Villes du silence, Calmann-Lévy, 2010
Tempête sur le Mexique, Calmann-Lévy, 2011
Un vent de paradis. Le roman des troubadours, R. Laffont, 2011
Mourir pour Saragosse, Calmann-Lévy, 2012
Beaux Nuages du soir, R. Laffont, 2012

Collection

« FRANCE DE TOUJOURS ET D'AUJOURD'HUI »

Jean Anglade, *Une vie en rouge et bleu*
Le Dernier de la paroisse
Le Choix d'Auguste
Le Sculpteur de nuages
Sylvie Anne, *Le Gantier de Jourgnac*
La Maison du feuillardier
Jean-François Bazin, *Les Raisins bleus*
Le Clos des Monts-Luisants
Le Vin de Bonne-Espérance
Les Compagnons du grand flot
Henriette Bernier, *Le Baron des champs*
Jean-Baptiste Bester, *L'Homme de la Clarée*
Plus près des anges
Françoise Bourdon, *Le Moulin des Sources*
Le Mas des Tilleuls
La Grange de Rochebrune
Retour au pays bleu
Édouard Brasey, *Les Lavandières de Brocéliande*
Les Pardons de Locronan
Patrick Breuzé, *Les Remèdes de nos campagnes*
La Valse des nuages
Michel Caffier, *Corne de brume*
La Paille et l'Osier
Les Étincelles de l'espoir
Anne Courtillé, *La Tentation d'Isabeau*
Le Gaucher du diable
Annie Degroote, *Les Racines du temps*
Jérôme Deliry, *Une rivière trop tranquille*
L'Héritage de Terrefondrée
Raphaël Delpard, *L'Enfant sans étoile*
Pour l'amour de ma terre
Alain Dubos, *La Mémoire du vent*
La Corne de Dieu

Marie-Bernadette Dupuy, *Les Fiancés du Rhin*
Angélina. Les mains de la vie
Élise Fischer, *Les Noces de Marie-Victoire*
Je jouerai encore pour nous
Emmanuelle Friedmann, *Le Rêveur des Halles*
La Dynastie des Chevallier
Alain Gandy, *Les Cousins de Saintonge*
Gérard Georges, *Une terre pour demain*
Le Destin des Renardias
Le Bal des conscrits
Mademoiselle Clarisse
Georges-Patrick Gleize, *La Fille de la fabrique*
Yves Jacob, *Sous l'ombre des pommiers*
Hélène Legrais, *L'Ermitage du soleil*
Les Héros perdus de Gabrielle
Les Ailes de la tramontane
La Guerre des cousins Buscail
Philippe Lemaire, *Rue de la Côte-Chaude*
L'Enfant des silences
L'Oiseau de passage
Éric Le Nabour, *Retour à Tinténiac*
La Louve de Lorient
Jean-Paul Malaval, *L'Or des Borderies*
Soleil d'octobre
Les Noces de soie
La Villa des térébinthes
Rendez-vous à Fontbelair
Antonin Malroux, *La Promesse des lilas*
La Cascade des loups
La Pierre marquée
Jean-Luc Mousset, *L'Enfant des labours*
Joël Raguénès, *La Maîtresse de Ker-Huella*
La Dame de Roz Havel
Geneviève Senger, *La Maison Vogel*
Jean Siccardi, *La Source de saint Germain*
Le Maître du diamant noir
Jean-Michel Thibaux, *L'Olivier du Diable*
Le Maître des Bastides

Brigitte Varel, *Le Secret des pierres*
Louis-Olivier Vitté, *La Guérisseuse de Peyreforte*

Collection « ROMAN D'AILLEURS »

Jean Bertolino, *Pour qu'il ne meure jamais*
Jean-Baptiste Bester, *Les Neiges de Toula*
Marie-Bernadette Dupuy, *L'Orpheline des neiges*
Le Rossignol de Val-Jalbert
Les Soupirs du vent
Éric Le Nabour, *La Dame de Kyoto*
Michel Peyramaure, *Les Villes du silence*
Tempête sur le Mexique
Mourir pour Saragosse
Bernard Simonay, *La Fille de l'île Longue*
L'Amazone de Californie

ROMANS HORS COLLECTION

Jean-Jacques Antier, *Blanche du Lac*
Le Convoi de l'espoir
Jean-Baptiste Bester, *Le Cocher du Pont-Neuf*
Lucien De Pena, *L'Argent des autres*
Michel Peyramaure, *Les Folies de la duchesse d'Abrantès*
Joël Raguénès, *L'Instinct du prédateur*
Bernard Simonay, *Le Lys et les Ombres*

DOCUMENTS

Jérôme Deliry, *Sept Enfants autour du monde*
Charles Guilhamon, *Sur les traces des chrétiens oubliés*
Frédéric Pons, *Algérie. Le vrai état des lieux*

Photocomposition PCA

Cet ouvrage a été imprimé en France
par CPI Bussière
à Saint-Amand-Montrond (Cher)
en décembre 2013
pour le compte des éditions Calmann-Lévy
31, rue de Fleurus 75006 Paris

calmann-lévy s'engage
pour l'environnement en réduisant
l'empreinte carbone de ses livres.
Celle de cet exemplaire est de :
730 g éq. CO_2
Rendez-vous sur
www.calmann-levy-durable.fr

N° d'édition : 5119144/01.
N° d'impression : 2006955.
Dépôt légal : janvier 2014.